Rizzoli

© 2004, RCS Quotidiani S.p.A., Milano
© 2004, RCS Libri S.p.A., Milano

ISBN 88-17-00361-1

Prima edizione Corriere della Sera: aprile 2004
Prima edizione Rizzoli: maggio 2004

REDAZIONE E IMPAGINAZIONE
Studio editoriale Littera, Rescaldina (Mi)

STAMPA E LEGATURA
Nuovo Istituto Italiano d'Arti Grafiche, Bergamo
maggio 2004

Gian Antonio
STELLA

ODISSEE
Italiani sulle rotte del sogno e del dolore

Rizzoli

ODISSEE

*A quelli che non sono mai
arrivati là dove sognavano*

VIA, COL TERRORE DEL MARE

Lunghi viaggi fra agenti-squali e pescecani veri

Un «pateravegloria» e via, toccarono atterriti le agognate Americhe scivolando appesi ai ganci di una fune tesa tra il transatlantico alla fonda e il battello con il quale dovevano poi risalire il Rio Parnaíba. I bambini piangevano nelle ceste. Le pinne dei pescecani disegnavano sotto di loro lenti cerchi nell'acqua.

Lo sbarco in Brasile di 331 poveri cristi raccontato da Bernardino Frescura, geografo, viaggiatore, reporter, scrittore, autore di 79 pubblicazioni testimoni di una curiosità onnivora, illustra come pochi altri documenti quanto furono lunghi, lunghi, lunghi i viaggi di tanti italiani per raggiungere i paradisi che erano stati loro promessi.

Odissee interminabili che potevano durare mesi e cominciavano spesso con lunghe marce a piedi dal borgo natio, le spalle cariche di fagotti, i bambini piccoli in braccio, i pochi soldi cuciti nelle braghe, per finire dopo mille trasbordi su somari e carretti e treni e piroscafi e ancora treni e carretti e somari, con nuove lunghe marce là dove il destino o un affabulatore bastardo avevano fissato il luogo finale della deportazione.

La storia di quei nostri 331 pellegrini, spiega una relazione su «I moderni problemi dell'emigrazione italiana» tenuta da Frescura il 21 marzo 1907 all'Associazione Ligure Ragionieri e oggi custodita dal nipote Bernardino Bertella, cominciò da qualche parte dell'Italia Centrosettentrionale nel 1895, l'anno in cui i fratelli Lumière giravano il leggendario *L'arrivée d'un train en gare de La Ciotat*: «Un certo dott. Sampaio, ricco *fazendeiro* del Piauhy, aveva ottenuto dal governo italiano di arruolare 331 emigranti per le sue tenute situate nel Piauhy, ed era con questi partito da Genova a bordo di un vapore inglese, il *Pera*, sul quale avea pure preso imbarco un delegato del governo italiano, il sig. R... Dopo un viaggio discreto attraverso l'Oceano, giunsero di fronte alla spiaggia arida, bianca e desolata del Piauhy: invano spinsero lo sguardo verso una città qualsiasi, che rispondesse al nome di Amaraçao: non videro che quattro capanne di palma e di canna su di un cumulo di sabbia, poi laggiù in fondo, in mezzo a macchie di alberi di cocco, sottili e bianchi come fantasmi, con un'esile chioma, qualche casuccia semidiroccata, e poi in giù ancora un ammasso di pietre sormontate da una croce a forma di chiesa. Così si presentò ai nostri emigranti il Piauhy, l'Eldorado che aveano sentito celebrare dagli arruolatori!».

Era soltanto il primo trauma: «Dal transoceanico bisognava sbarcare su uno di quei luridi vapori fluviali (il *Cabral* della compagnia maragnense), che risalgono il Parnahyba, fiume che divide i due Stati di Maranhão e Piauhy ed unica via di penetrazione per arrivare alla capitale di quest'ultimo Stato, Therezina: fiume dalla foce maestosa, ma ingombro dalle sabbie e di difficilissima navigazione. Mentre il vento fischiava tra le sartie e i boccaporti, il trasbordo si faceva penosamente, legando uomini e donne con una fune attraverso il corpo e mettendo i bambini dentro le sporte, mentre attorno al vapore si aggiravano quei terribili pescicani (*tubarão*), che numerosissimi e audaci infestano quei paraggi, facendo sempre qualche vittima. Un negro pochi giorni prima si avea visto troncare nettamente una gamba, che avea lasciata penzolare fuori dalla canoa, presso alla spiaggia.

«Mentre penosamente si faceva questo trasbordo, capitò colà un frate cappuccino italiano (il padre Stefano) ed appena quei poveretti lo videro, gli si strinsero attorno, tempestandolo di domande sullo Stato di Piauhy, sul clima e sulla distanza del paese a cui erano diretti: e quando sentirono che occorreva almeno una settimana di cattiva navigazione per giungere a destinazione, si diedero a tumultuare, imprecando contro il Sampaio e il R..., che li aveano atrocemente ingannati».

Ogni lamento, ogni supplica, ogni protesta fu vana: «A forza furono tuttavia caricati in 300 sul *Cabral*, un vaporetto che non poteva portarne che una cinquantina, e con pochi viveri e pessimi, perché il Sampaio avea ormai consumato i denari. Immaginiamoci dunque la condizione di questi 300 infelici d'ogni età, stivati come le acciughe in una barcaccia, sudicia, incomoda, puzzolente, lungo un fiume noto per le secche, da cui bisogna talora disincagliare con pali l'imbarcazione, sotto i raggi di un sole tropicale! Invece delle cuccette per dormire, il tavolato lurido come una stalla: invece della minestra, del brodo, del pane, ebbero la dolorosa sorpresa di vedersi buttare davanti un pugno di farina di mandioca, un pezzo di puzzolente baccalà e di carne secca, e quindi le malattie non tardarono a manifestarsi a bordo, mentre mancava il medico che, avendo avuto qualche questione per causa di donne, non avea voluto seguire la spedizione.

«Il malumore cresceva ogni giorno di più, ed i nostri emigranti erano disperati, tanto più che doveano assistere alle morti d'inedia e di stenti dei poveri bimbi che, sotto agli occhi dei genitori inebetiti dal dolore, si gettavano in pasto ai pescicani. Un giorno cadde nel fiume una giovane donna, che certamente si poteva salvare: ebbene, nessuno si mosse, ed il vapore continuò a filare diritto, senza fermarsi! Ed il delegato italiano che faceva a bordo? S'aggirava fra quelli infelici, vendendo tabacco e cambiando monete, comprando le lire italiane per 600 reis!

«Finalmente arrivarono a Therezina, e di là si mandarono per i deserti campi di Amarante (che si trova alla confluenza del Guaribas col Parnahyba) e di Oeiras (l'antica Mocha) nel centro dello Stato, rotti dal viaggio e dagli stenti, sfiniti dalla fame, sotto un clima – nella stagione secca – ardentissimo. Quei poveretti furono ingannati sempre! Il Sampaio avea fatto preparare le casette per 50 persone, ed erano 300. Casette? Ma che casette? Quattro pali ricoperti da foglie di palma, piantati in un terreno ancora ingombro dai tronconi degli alberi tagliati».

«Era troppo!» sbotta Bernardino Frescura nel suo indignato racconto. «E gli uomini si ribellarono finalmente: e allora furono bastonati a sangue dai soldati fatti venire da Therezina, sotto agli occhi delle loro donne e dei loro bimbi, invano imploranti pietà. Furono poi internati nelle foreste lungo il fiume, altri in un deserto privo d'acqua, mentre il pessimo cibo (mandioca condita con olio di cocco!) li decimava. Ed allora cominciò una fuga generale dallo Stato di Piauhy: alcuni si rifugiarono nel Maranhão ove, non potendo lavorare la terra in quel clima, si impiegarono nel cotonificio del sig. Airly, agente consolare inglese a S. Luiz: altri si portarono a Rio Janeiro.»

I più, appena furono in grado di farlo, vollero chiudere lì la loro avventura sudamericana e «tornarono in Italia, al loro paesello natio, per sentirsi chiamare dal delegato italiano cialtroni e birbanti, armati più di rivoltelle che di vanghe! Ed essi erano tornati sfiniti di stenti, colla morte nel cuore per i loro cari scomparsi, colla triste visione di quella spiaggia bianca e desolata, di quel fiume Parnahyba, dove una giovane donna scompariva, tendendo invano le mani fra quelle acque, formicolanti di pescicani! Così in tempi non lontani da noi avveniva l'esodo della nostra gente infelice!».

Furono in tanti a essere imbrogliati, tra i quasi 27 milioni di italiani, pari alla popolazione di tutta la penisola al momento dell'Unità che dalla seconda metà dell'Ottocento sono andati a cercare fortuna all'estero. Frescura lo sapeva bene. E non solo scrisse una serie di guide per chi espatriava (*Le repubbliche del Rio de la Plata*, *Guida dello Stato di San Paolo*, *Guida degli Stati Uniti...*) ma al Congresso Geografico di Milano del 1901 suggerì che i giornali pubblicassero accurate descrizioni delle aree dove l'emigrazione italiana era più forte o sulle quali più batteva la scellerata propaganda degli arruolatori delle compagnie di navigazione.

In un paese oppresso come il nostro dall'analfabetismo, dove nel 1881 (quando in Germania solo l'1,8 per cento dei coscritti era totalmente a digiuno di lettere) il 67 per cento degli abitanti non sapeva né leggere né scrivere, il 59 per cento degli sposi non era in grado di firmare neppure l'atto di matrimonio e gli alunni iscritti alle medie erano 35.390 su una popolazione di un milione e 383 mila ragazzi dai 10 ai 15 anni, era facile «vendere», a chi voleva emigrare, paesi fantastici.

Da decenni, le contrade erano battute dagli istrioni del «Mondo Nuovo», che giravano per le fiere con una cassa di legno più o meno sofisticata e impreziosita da disegni e intarsi e fornita di un occhio magico dentro il quale si potevano vedere le illustrazioni colorate e luminose dell'ultima festa di un imperatore o del varo di una nave mentre il battitore tuonava: «Signori avanti ché la sera è tarda / vedrete meraviglie affatto strane / due giganti a cavallo di due rane / e una mosca che tira di bombarda!». Era il cinema dei nostri avi, cantato dal Goldoni, immortalato in alcune tele dal Tiepolo e dal Longhi e rimasto sulle piazze d'Italia fin dentro l'Ottocento. Fu dunque in qualche modo «naturale», il passaggio dal Mondo Nuovo al Nuovo Mondo. Dalla raffigurazione di eventi quali «L'incredibile ascensione in cielo del pallone volante dei fratelli Montgolfier», all'illustrazione di paesi e fiumi e animali fantastici.

Come per esempio l'«anta», una specie di tapiro brasiliano così «fotografato» da Bartolomeo Bossi: «La testa richiama un po' quella dell'asino come pure le sue orecchie, per quanto non così larghe; mentre gli occhi e lo sguardo sono simili a quelli del maiale. È dotato di una piccola proboscide di quattro pollici, che allunga e richiama alternativamente e della quale si serve come l'elefante per prendere quello che desidera mangiare; in questa proboscide si trovano le aperture delle narici. La sua massima grandezza è quella di un vitello di un anno, ma più robusto; le sue zampe sono corte e grosse e assai simili a quelle dell'elefante, con la differenza che i piedi anteriori hanno quattro unghie e quelli posteriori tre...».

Erano ghiotti di racconti d'ogni genere, i nostri nonni. E avevano un così disperato bisogno di sognare, che erano tentati di attaccarsi a ogni promessa, ogni lusinga, ogni illusione. «Tutte le famiglie che avevamo a bordo avevano pressapoco la stessa storia. Dopo aver risparmiato, preso in prestito o dopo aver venduto tutto per pagarsi il biglietto, erano andati a New York pensando di trovarne le strade coperte d'oro; invece le avevano trovate coperte di pietre molto dure...» scrive Charles Dickens, nel suo reportage *American notes* del 1842.

E così, racconta Renzo Grosselli in *Storie dell'emigrazione trentina*, nel 1876 molti partirono per Caracas attirati da un opuscolo che si concludeva con queste parole: «Volete arricchirvi, vivere tranquilli, felici ed indipendenti? Ebbene, andate in Venezuela» stato descritto da un secondo dépliant come «uno dei paesi più sani che ci sia nel globo». Altri si fecero truffare da manifesti e libretti che descrivevano Haiti come «una delle più ricche terre che si trovan nelle due Americhe» e il Guatemala come una specie di Bengodi dove «l'emigrante guadagna più che in Brasile e in pochi anni si fa una fortuna» e la brasiliana San Paolo come una città dove la mortalità «è molto inferiore a quella di Milano, Parigi, Lisbona, Madrid».

Incapaci di difendersi dalle menzogne, spesso raccontate da veri emigranti tornati in patria per smerciare storie di arricchimenti favolosi, e digiune com'erano di quel minimo di nozioni geografiche che i più attenti difensori degli emigranti invocavano, racconta Grosselli, alcune famiglie trentine di Fornace e Civezzano salparono nel 1877 per raggiungere parenti e compaesani in Brasile e, dopo un lungo viaggio, si ritrovarono invece nelle Antille poiché «l'armatore, a loro insaputa, aveva sottoscritto un impegno con le autorità di Haiti e non tutti seppero opporvi le proprie ragioni». Altri, che volevano andare a Buenos Aires, a causa di una gabola sui biglietti dell'agente si ritrovarono a New York. Altri subirono la sorte esattamente contraria e altri ancora si ritrovarono semplicemente sul molo di Genova senza più soldi, senza biglietti e senza agente da rincorrere coi bastoni.

Potevano cascarci tutti, nella delusione di un sogno infranto. Anche i preti. Come ci cascò un certo don Munari che faceva il parroco a Fastro, in provincia di Belluno, e un giorno del 1876, racconta Deliso Villa nel libro *La valigia dell'emigrante*, partì con 275 delle sue pecorelle alla volta della Francia, coltivando il sogno di costruire una nuova contrada tutta loro in Brasile. Neanche il tempo di salpare da Bordeaux e il veliero sul quale erano imbarcati finì in mezzo a una tempesta. Si salvarono quasi tutti. Meno 7 bambini. Ma era solo l'inizio. Costretti a fermarsi per mesi in Francia in attesa di trovare un vapore che li portasse di là dell'Atlantico, arrivarono in Brasile mentre imperversava un'epidemia di febbre gialla. Scampati anche a quella, finirono a lavorare in una *fazenda* dalle parti di Farroupilha, che allora si chiamava Nuova Vicenza.

«Sono trattati peggio degli schiavi» scriveva qualche mese dopo il prete al vescovo, chiedendogli di essere trasferito. «La maggior parte maledicono il giorno in cui fu scoperta l'America. Maledicono lo scopritore, l'emigrazione e il giorno della loro partenza. [...] Vivono in mezzo ad una selva e sono dapprima senza un tetto e poi in capanne peggiori della rinomata e santissima capanna Betlemme, fatte la maggior parte di canne. [...] Dieci giorni solo di vitto vengono loro amministrati e poi nulla, nulla, nulla.» Un suo parrocchiano si contenta e scrive: «Vi garantisco che, se non fossimo in mezzo boschi, non cambierei il nostro stato attuale con i ricconi di Feltre». Un altro si dispera: «Mi tocca travagiare assieme coi negri, con le zerle sulle spalle, su per i monti come un musso... Si deve dormire al campo, al lustro delle stelle come le bestie, che sono più bene alloggiate le bestie in Italia che i cristiani in America».

Ce l'abbiamo fatta lo stesso, noi italiani. Inondando il mondo di arrotini della Val Rendena e contadini delle Murge, pescatori delle Eolie e orsanti e scimmianti dell'Appennino parmense, balie della Romagna e spazzacamini della Val Vigezzo, stradini friulani e minatori abruzzesi. Sopravvivendo a mille stereotipi insultanti. Liberandoci di mille nomignoli offensivi. Superando le diffidenze che ci venivano rovesciate addosso per il solo fatto di essere compatrioti dei troppi anarchici omicidi che scatenarono il terrore tra i capi di stato stranieri a cavallo tra Ottocento e Novecento o di quella minoranza di mafiosi che ci disonorò con uomini come Al Capone. Piangendo con dignità i nostri morti, dopo aver subito sanguinose cacce all'uomo in tutto il mondo ed essere stati i più linciati dopo i neri nella storia degli Stati Uniti. Facendoci forza anche dopo stragi immeritate e infami, come il massacro di Ludlow, Colorado, dell'aprile 1914, quando la guardia civile mandata da John Rockefeller per reprimere uno sciopero nelle sue miniere, sciopero imposto dalle condizioni bestiali in cui vivevano i minatori italiani e greci, sparò contro la nostra gente con le mitragliatrici e rase al suolo il campo di tende e ammazzò 66 innocenti, tra i quali molti bambini come i figli della signora Petrucci: Giacomo che aveva 4 anni e mezzo, Lucia che ne aveva 2 e Francesco che aveva solo 6 mesi.

Ce l'abbiamo fatta. Siamo riusciti giorno dopo giorno a guadagnarci la riconoscenza, la stima, l'amicizia di chi ci ha accolto. E abbiamo dato a tutti, dall'America all'Australia, dalla Francia all'Argentina, statisti e pittori, scrittori e scienziati, banchieri ed eroi, sindaci amatissimi e sportivi celeberrimi. Eppure della nostra storia di emigranti, una storia di formidabili successi e lancinanti dolori, sappiamo poco. Delle nostre odissee di viaggio pochissimo. E anche la retorica patriottarda sul bravo italiano che sgobba e si fa voler bene da tutti, non ha saputo cogliere un punto che altri popoli, altre genti, altre nazioni hanno invece colto: un'identità nazionale si può costruire anche sul dolore. Sulla condivisione di un lutto. Sulla elaborazione collettiva di una storia comune in cui abbiamo mischiato i sogni e le lacrime insieme: valdostani e calabresi, marchigiani e pugliesi, veneti e sardi e siciliani. Una storia che non conosciamo. Che abbiamo rimosso come se avessimo paura non solo di confrontarci con realtà ustionanti come la vendita dei nostri figli o la tratta delle bianche, ma anche con lo spettro di uno strazio antico: ah, no, basta, il dolore no!

E abbiamo così cancellato capitoli interi della nostra storia. Non solo la xenofobia anti-italiana. Non solo i linciaggi. Ma anche le avventurose, bellissime, spaventose, tragiche traversate che portarono i nostri nonni a solcare mari e oceani. Traversate che affrontavano con l'angoscia di chi aveva visto al santuario vicino l'ex-voto d'uno scampato a un naufragio o aveva sentito leggere ad alta voce da un compaesano lettere simili a quella spedita dal Sudamerica nel 1889 da Francesco Costantin, di Biadene, Treviso, e contenuta nella ricchissima raccolta epistolare *Merica! Merica!* di Emilio Franzina: «Non trovo parole adeguate per descriverle per l'intiero lo sconvolgimento del Piroscafo, i pianti, i rosari e le bestemmie di coloro che hanno intrapreso il viaggio involontariamente, in tempo di burrasca. Le onde spaventose s'innalzano verso il cielo, e poi formano valli profonde, il vapore è combattuto da poppa a prua, e battuto dai fianchi. Non le descriverò gli spasimi, i vomiti e le contorsioni dei poveri passeggeri non assuefatti a così tali complimenti. [...] Tralascio dirle dei casi di morte, che in media ne muoiono 5 o 6 per 100, e pregare il Supremo Iddio che non si sviluppino malattie contagiose, che allora non si può dire come andrà».

C'era, in quei racconti, tutto il terrore per il mare, la vastità incontenibile del mare, la devastante violenza del mare, di chi spesso, figlio delle balze appenniniche, delle campagne padane o delle serre calabre, si era messo in viaggio per un altro mondo senza aver mai visto prima una locomotiva e, tanto meno, la grande distesa azzurra. Come Pascal D'Angelo, che avrebbe raccontato, nell'emozionante *Son of Italy,* il suo travagliato percorso di pastore abruzzese partito a 14 anni per l'America ai primi del Novecento: «Sentii il fragore del treno – né muli né cavalli a trascinarlo – quindi la stretta di mio padre che m'incitava a salire in carrozza. L'ultimo bacio di mia madre. Il resto sparì tra la nebbia delle mie lacrime. Stavamo andando verso l'ignoto. [...] Il frastuono della prima galleria e quelle luminose macchie improvvise mi fecero trasalire dallo spavento, e smisi di piangere. Quindi sfrecciammo fuori. Il mondo là attorno sembrava una grande giostra. Colline e montagne ci venivano incontro all'impazzata, si dilatavano poi si sgonfiavano; le case ci scivolavano accanto: prima bianche, quindi svanivano nuovamente in una verde macchia indistinta. Infine ci fu uno scenario mozzafiato. Eravamo appena usciti da una galleria ad incredibile altitudine, lanciati a tutta velocità verso la pianura campana. Un abbagliante luccichio dilagava tutto intorno e andava a perdersi ai confini del mondo. Sulle prime ebbi paura. Poi pensai: "Il mare! Quella dev'essere la cosa che chiamano mare!". E lo era».

Furono generosi e crudeli, i mari e gli oceani, con gli emigranti italiani. Inghiottiti da decine di naufragi o scaricati in acqua nel corso di devastanti epidemie di bordo. Come la figlioletta di un anno e mezzo di Amalia Pasin che partì nel 1923 da Villafranca Padovana con il marito Giovanni e ha raccontato a Francesca Massarotto Raouik, in *Brasile per sempre. Donne venete in Rio Grande do Sul*, il dolore più lacerante della sua vita: «Durante il viaggio in nave la bimba mi prese la febbre, una febbre sempre più alta, la vegliavo giorno e notte, non sapevo cosa fare. Una notte la sentii gemere, sudava freddo, tremava; cercai di scaldarla e tenermela vicino, ma all'improvviso smise di tremare. Era morta. Morta. Forse perché non c'erano medicine, forse perché il medico non c'era; non so. Forse aveva preso una febbre mortale. Me la strapparono dalle braccia, la fasciarono stretta stretta da capo a piedi e le legarono una grossa pietra al collo; di notte, alle due di notte, con quelle onde così nere, la calarono giù, in mare. Io urlavo, urlavo, non volevo staccarmi da lei, volevo annegare con la mia piccola; mi tennero ferma con le braccia, degli uomini credo. Io non volevo che la mia bambina così piccola finisse in quel mare così freddo, così scuro, certamente divorata dai pesci. Volevo essere sepolta con lei, mi pareva di proteggerla, difenderla, perché non la divorassero. Non volevo lasciarla sola, povera bambina, invece mi tennero indietro mentre la buttavano giù. Quel tonfo in acqua, non posso dimenticarlo».

Furono tante le madri che non hanno potuto dimenticare.

Eppure, neanche gli straordinari lavori su questo o quel tema specifico condotti dai più appassionati studiosi della materia sono riusciti a colmare il vuoto intorno a quegli epici viaggi per mare. Un vuoto che va riempito non solo per capire meglio le tragedie di oggi, come per esempio la morte dei 283 cingalesi, pachistani, arabi, curdi, affogati nel naufragio della carretta su cui navigavano, al largo di Capo Passero, la notte di Natale del 1996. Ma anche per capire la nostra storia, quella che abbiamo dietro di noi. E rendere onore a quei nostri nonni da troppo tempo dimenticati sul fondo di tanti mari e della nostra memoria collettiva.

«COME POTEVAMO RESTARE?»

L'Italia di allora: fame, miseria, malattie

«Nelle valli delle Alpi e degli Appennini, ed anche nelle pianure, specialmente dell'Italia Meridionale, e perfino in alcune province fra le meglio coltivate dell'Alta Italia, sorgono tuguri ove in un'unica camera affumicata e priva di aria e di luce vivono insieme uomini, capre, maiali e pollame. E tali catapecchie si contano forse a centinaia di migliaia.» Niente, come la grande indagine parlamentare sulla condizione del mondo agrario italiano, nota come «Inchiesta Jacini» dal nome di Stefano Jacini, a lungo ministro dei Lavori Pubblici, fotografa l'Italia povera, lacera e macilenta che, nella seconda metà del Diciannovesimo secolo, cominciò a svuotarsi.

Nell'anno in cui inizia la pubblicazione del rapporto, il 1880, il mondo moderno è lanciatissimo. L'Europa è passata in quarant'anni da 1700 a 101.700 miglia di binari ferroviari, vale a dire da 2735 a 163.635 chilometri. È appena stata accesa la prima lampadina elettrica ideata da Thomas Edison a New York nel 1879, sono già stati inventati da 20 anni il fax brevettato dall'italiano Giovanni Caselli col nome di «pantelegrafo» (dal 1865 a disposizione del pubblico presso gli sportelli delle Poste francesi di Parigi e Lione), da 24 il telefono di Antonio Meucci e il primo ascensore in un grande magazzino di New York, da 26 il motore a scoppio di Felice Matteucci ed Eugenio Barsanti nel 1854, da 29 le rotative per la stampa dei quotidiani e il telegrafo sottomarino che collegava la Francia e la Gran Bretagna.

Eppure, mentre a Chicago è già stato costruito il primo grattacielo ed è partita la sfida a chi farà svettare quello più alto, le condizioni abitative degli italiani, nelle relazioni dei commissari della «Jacini», appaiono spesso medievali. In Sicilia, «tra le tante cause della decadenza morale del contadino siciliano [c'è] la malsania e la ristrettezza delle abitazioni, ove in una medesima stanza o stamberga convivono persone d'ambo i sessi e di diverse età, sdraiati talvolta, per mancanza di letto, sulla paglia (padre, madre, figlie e figli, cognati, fanciulli) in compagnia del maiale o di altre bestie, in mezzo al sudiciume e al lezzo, ed in quella compiono ogni operazione della natura». In questi «covi», si legge, «s'insegna ai bambini ciò che sempre non giova di conoscere a uomini fatti. È là che gli adulti compiono accanto ai figli, ai nipoti fanciulli, le funzioni animali della generazione. L'incesto e la pederastia ne sono non infrequenti e non sole conseguenze più gravi».

In provincia di Catanzaro, scrive il deputato e medico Mario Panizza, «i concimi si conservano nelle stalle; e se il bestiame, come accade, sta all'aperto, vengono accumulati lì presso; il concime si vede anche accumulato nelle camere da letto, se queste sono al pianterreno, o nella pubblica via. Le case, in generale, sono umide, luride, affumicate, pericolanti, spesso senza imposte e senza soffitto. Non esiste nettezza pubblica; lo stato dei paesi muove ribrezzo». Né le cose vanno diversamente risalendo la penisola fino a quella che diventerà la dolce, linda e civilissima Umbria: «Nella provincia di Perugia se le condizioni igieniche delle case coloniche e loro adiacenze fossero meglio curate, non si lamenterebbero alcune malattie. Le coliche, le dissenterie, i reumatismi, le pleuro-polmoniti e la tifoidea sono le malattie ordinarie e prevalenti [...] Il concime si gitta in un canto addossato alla rinfusa ad una parete della casa colonica sotto la gronda dei tetti». Più a nord ancora, nelle terre di Parma, «i cessi mancano in tutta la provincia, salvo qualche eccezione. Le stalle ed i magazzini fanno corpo colla casa colonica, e comunicano direttamente, o, alcuna volta, per mezzo di un androne aperto. I concimi, dopo essere stati qualche giorno nelle stalle, si ripongono nei cortili o in vicinanza della casa. La nettezza interna è del tutto negletta; le case hanno poca luce, e non avrebbero aria, se non la ricevessero dalle pareti mal connesse e cadenti; talvolta di giorno il medico è costretto a visitare gl'infermi col lume. Non è punto curata anche la nettezza dei villaggi, massime di quelli posti sulle montagne, dove si lascia fermentare nelle pubbliche vie ogni specie d'immondizie».

Agghiacciante la descrizione delle montagne di Sondrio: «Anche in queste località vi sono molte cause di aria guasta e malsana. Fra queste debbonsi accennare il sudiciume degli abitati; gli ammassi di letame stipati sulla porta delle case, e negli atri strettissimi delle contrade; il pessimo uso ed abuso di adagiare stramaglie sulle vie, e negli atri stessi dei domicili, affine di imbeverli di escrementi umani e bovini, per avere concime senza il concorso di bestie legate alla stalla».

Non c'è una regione dell'Italia, neppure una, dove il rapporto parlamentare possa segnalare un quadro abitativo soddisfacente. Il medico di Cittadella, Padova, citato nell'inchiesta, scrive: «Le abitazioni dei lavoratori di campagna in genere sono delle più infelici possibili, e sono forse uno dei primi fattori morbosi di tanta parte di popolazione: non hanno che il piano terreno, con pavimento a sola argilla, non sono ventilate, sono poco capaci, per cui gli individui si ammonticchiano, si stipano senz'aria e senza luce [...] non meno dannosa è la pretesa che hanno i proprietari di bestiame di costringere i loro bovari a vivere e riposare di continuo nelle stalle, al cui scopo entro a tutte s'incontra l'apposito letto dal quale per mancata igiene dopo d'essere stati resi inetti al lavoro, vengono vilmente scansati». E via così: in provincia di Vicenza «non vi sono cessi salvo rare eccezioni», in quella di Treviso «si giunge fino a spargere ad arte del fogliame oppure dei ricci di castagne perché, parte coll'aiuto dell'acqua piovana e parte con quello dei passanti, il materiale si maceri, fermenti, e si converta poi in letame», in quella di Ferrara «le abitazioni delle infime classi agricole sono in generale malsane, perché umide, sudicie e poco ventilate. I pian terreni delle case, che sono generalmente abitati, si trovano sterrati».

Per non dire di casi limite come Oneglia: «Escrementi ed immondizie sono gettati sulla pubblica via ed accumulati nei viottoli a quella adiacenti. Le case senza intonaco, basse, umide, mai pulite, sono centri d'infezione. Vi sono osterie ed altri pubblici esercizi che sembrano antri. [...] Nella parte più a mare della città, il fondo delle case stilla acqua; e quando c'è

marea, le onde battono contro i muri, lasciandovi una
perenne umidità. In queste case crescono fanciulli ra-
chitici, che fa pietà a vederli, e le donne e i ragazzi che
vi stentano la vita, sono quasi tutti affetti da mal d'occhi. [...] Qui è consuetudine, quando la strada o la vicina campagna non si prestano per tali occorrenze,
raccogliere gli escrementi entro otri di terra od in barili, e finché questi non sono ben pieni, si conservano
in casa; poi si vendono o si portano in campagna come
concimi. Ciò si pratica in tutte le case di Porto Maurizio prive di latrine, e sono i nove decimi».

Oltre un secolo dopo, di quegli anni angoscianti
pare essere rimasto solo il ricordo romantico del filò,
la veglia serale nel tepore selvatico della stalla durante gli interminabili inverni. Filastrocche bellissime che accompagnavano le serate come quelle
della Val d'Orba raccolte da Anselmo Roveda:
«Daulisjina daulisjiana / mezzu lin e mezza lana /
mezza lana e mezzu lin...». Chicche preziose di cultura popolare, come le nenie venete recuperate da
Gianni Secco: «Nina nana, nina ò / 'sto bambino a
chi lo do? / Ghe 'o daremo a la Befana / che se 'o
tègna 'na setìmana, / Ghe daremo a l'Omo Nero /
che se 'o tegna un mese intéro, / ghe 'o daremo al so
papà / quando casa el tornarà».

La romantica stalla che ci figuriamo era nell'«Inchiesta Jacini» un'altra cosa: «La stalla è la parte
principale della casa del contadino, è ad un tempo il
luogo del bestiame, il salone e il santuario della famiglia. È nella stalla che si passano i lunghi inverni; è là
che la padrona di casa riceve parenti e amici; là la famiglia lavora, si ricrea, mangia e dorme. Intanto che le
donne cuciono, rappezzano o filano, gli uomini giuo-

cano alle carte o se la passano discorrendo [...]. Le stalle o la camera dove dimora la famiglia sono riscaldate con delle stufe di ferro fuso o di pietra; la loro apertura per fortuna è nella camera stessa e serve a rinnovare l'aria. Si ha la cattiva abitudine di riscaldare troppo, onde esiste sovente fra la temperatura esterna e quella della camera riscaldata una differenza di 20 o 30 gradi. Questo contrasto di temperatura, aggiunto alla mancanza di aperture, che impedisce l'azione della luce e il rinnovamento dell'aria, produce frequentemente delle bronchiti, o polmoniti, o reumatismi».

È evidente, proseguiva la denuncia segnalando l'abitudine di mettere i bambini a dormire lì, con le bestie, «che il soggiorno prolungato per più mesi in questa specie di stalle nuoce alla composizione del sangue, indebolisce l'organismo e lo rende meno atto a resistere agli attacchi delle diverse cause di malattie, ed è forse questa la causa principale dello sviluppo delle epidemie, di febbri tifoidee, che sono così frequenti fra i nostri campagnuoli. Queste epidemie cominciano di solito a manifestarsi verso la fine dell'inverno o al principio della primavera e coincidono con l'epoca della maggior mortalità e della maggior debolezza degli organismi prodotta da una vita sedentaria, dall'uso di una nutrizione grossolana e talvolta insufficiente, ma più ancora dal soggiorno prolungato in un ambiente pieno di esalazioni di ogni genere».

Dove portasse tutta quella miseria e quella sventurata estraneità a ogni cultura igienica da parte dei nostri nonni, lo si capisce dalle statistiche. Come quella sulle cause di morte nel 1887, il primo anno in cui si cominciò a tener nota di alcuni dati. Dai quali emerge che a uccidere gli italiani, in dodici casi sui primi sedici della classifica, erano soprattutto le infezioni. Con in testa la «malattia delle mani sporche», cioè la gastroenterite, seguita dalle malattie polmonari.

PRINCIPALI CAUSE DI MORTE NEL 1887

Gastroenterite	93.196
Bronchite	63.853
Polmonite	63.791
Tubercolosi	62.614
Febbre tifoide	27.800
Difterite	24.637
Morbillo	23.768
Malaria	21.033
Scarlattina	14.631
Tumori vari	12.631
Pertosse	11.140
Infezioni da parto	4793
Sifilide	3882
Annegamenti	1631
Influenza	623
Carbonchio	72

Racconta Eugenia Tognotti ne *Il mostro asiatico: storia del colera in Italia* che, nonostante l'eziologia del «male blu», chiamato così perché si lasciava dietro corpi rinsecchiti e bluastri, e i suoi modi di trasmissione fossero «ben chiari anche al più oscuro medico di villaggio» e così «le raccomandazioni per la bollitura dell'acqua e del latte», l'ignoranza collettiva intorno al ruolo della sporcizia nello spartiacque tra la vita e la morte, era tale che «i giornali ospitavano annunci pubblicitari di anticolerici come l'estratto di assenzio, l'acqua di Orezza (Corsica), "minerale, ferruginosa, acidula, gazosa e senza rivale"; o, ancora, la "menta di Ricqlès" di cui si vantavano i successi a Marsiglia e a Tolone».

E se questa era la cultura della classe media che leggeva i giornali, è facile immaginare cosa dovesse pensare la plebe analfabeta. Certo, se ci fosse stato un generoso investimento sulla prevenzione, l'istruzione, la scuola, le cose sarebbero andate diversamente. Ma il governo italiano, al di là delle fiammeggianti battaglie di qualche illuminato, non pareva interessato al tema. Lo dice il vertiginoso ricambio di ministri (33 dall'Unità al 1901) della Pubblica Istruzione. Lo dicono le statistiche di Ernesto Nathan, mazziniano, economista, sociologo, appassionato di numeri e percentuali, secondo il quale l'Italia, che impiegava in spese militari oltre un quinto del suo bilancio, dedicava alla formazione culturale dei suoi cittadini il 2,7 per cento contro il 4,4 della Spagna, il 6,6 della Francia, il 7,5 della Baviera o il 10 abbondante della Gran Bretagna.

Lo ribadisce infine il rapporto di stizzito stupore di un ispettore, un certo F. Salaza citato da Marco Porcella in *La fatica e la Merica*, su una scuola dell'Appennino ligure-emiliano: «Non posso dire nulla del profitto, perché, pel taglio dei fieni e pei lavori della campagna, la scuola quando io la visitai era chiusa. Al maestro sono assegnate L. 200 all'anno. Il locale è pessimo e assolutamente disadatto. Siccome sotto la stanza dov'è la scuola vi è un frantoio, quando vi si fa l'olio la scuola si riempie di fumo a cagione di molte fessure che sono tra le tavole del pavimento. Inoltre, essendo la scuola in una cucina abbandonata, vi è un camino che essendo screpolato è pericoloso, potendo rovinare. Mancano due banchi, i calamai, il crocifisso, il ritratto del Re, i cartelloni, il quadro dei pesi e delle misure, una carta d'Italia, una d'Europa ed il calamaio del maestro».

Va da sé che, in un contesto così, l'Italia infettata dal colera era ancora inchiodata ai pregiudizi medievali sugli untori, le ampolline, gli avvelenamenti: «Se anche nelle regioni del Centronord investite dal morbo non mancarono le voci di veleno, come sempre furono le regioni del Mezzogiorno e la Sicilia il teatro dei disordini più gravi» ricostruisce la Tognotti. «Nel paese di Stignano, in provincia di Reggio Calabria, per esempio, il sindaco, in una allarmantissima comunicazione del 4 settembre 1884, informava il sottoprefetto di Gerace che "il popolo crede infallibilmente che il colera non è una malattia, ma un veleno che spedisce il governo e che sono incaricati a spargerlo non solo gli amministratori del paese, ma i medici ancora, il conciliatore ed altri individui del paese stesso: tutti sono pronti con fascine a bruciare le loro case, e tra di loro s'incoraggiano l'un l'altro".»

Qualche giorno dopo, spiega la storica della medicina, «il prefetto dava ancora meglio l'idea di ciò che stava accadendo in quel centro, in un concitato telegramma al ministro dell'Interno: "A Stignano 300 armati bastone tumultuarono minacciando morte chi fosse colto spargere veleno colerico. Trovandosi sindaco assente si insinuò essere occupato preparativi tale operazione, incarico Governo, premio L. 9000"».

E non si trattava affatto di casi isolati: «A Porelli di Bagnara Calabra si raccolse un numeroso assembramento di persone che pubblicamente accusò l'amministrazione comunale di aver dato a una farmacia l'incarico di confezionare il veleno» e a Palermo «gruppi di popolani inferociti improvvisarono cordoni all'ingresso di vicoli e cortili per impedirne l'accesso ai supposti untori». Per non dire di Napoli dove «l'antica paura del colera-veleno divampa come un incendio tra il 10 e il 13 settembre 1884. Dimostrazioni a stento represse dalla forza pubblica si svolgono in diverse parti della città al grido di "Viva Masaniello", "Viva la Rivoluzione", mentre una folla di dimostranti lancia sassi contro gli agenti e "un gruppo di tristi" ammucchia fascine di legna davanti al palazzo del municipio con l'intenzione di dar fuoco all'edificio».

Ottomila morti contò Napoli, nell'epidemia di colera del 1884. E gelano il sangue i racconti dell'epoca sul soccorso agli infetti, come un articolo di «Nuova Antologia» intitolato *Volontari infermieri* e pubblicato nel 1885: «S'entra, per riferire qualcuno tra tanti lugubri episodi, nel buio d'un atrio infetto. Presso al pozzo fetente di lezzo è una porta. Chi guida è uno straccione il quale per lume tiene tra le molle nella mano scarna un pezzo di ferro rovente che si fè prestare dal fabbro vicino. La luce di quel tizzone rischiara il covile. Poca paglia sul pavimento ammuffito. Spazio: la lunghezza d'un uomo che giaccia. In abituri simili a questo 6 o 7000 infelici languono nel buio, nella mefite [...]. Nelle luride case mancava tutto, biancheria, vasi, carbone, cucchiai, bicchieri, lenzuola. In quei vicoli stretti, dove il sole non è mai penetrato, i volontari erano chiamati presso un infermo e ne trovavano due, tre, cinque. Nei fondaci appestati, da ogni parte di quelle cloache, dai pianerottoli pieni d'immondezze non s'udivano che pianti e lamenti».

Era una strage, ogni volta che partiva un'epidemia di colera. Basti vedere i numeri delle due successive ondate del «male blu» nel biennio 1886-87.

LE MORTI PER COLERA

REGIONE	1886	1887
Piemonte	367	7
Liguria	232	4
Lombardia	94	8
Veneto	3646	3
Emilia	1552	9
Toscana	35	10
Marche	60	–
Umbria	–	3
Lazio	31	344
Abruzzi e Molise	3	55
Campania	32	2250
Puglia	1849	191
Basilicata	1	13
Calabria	–	273
Sicilia	–	4964
Sardegna	65	16
TOTALE ITALIA	7967	8150

Quasi 34 mila furono i morti, nei 4 anni dall'84 all'87. Ma il colera, come si è detto, era solo una delle tante sciagure che affliggevano quella che Giovanni Pascoli qualche anno dopo avrebbe chiamato la «Grande Proletaria». L'Italia, nei decenni a cavallo tra la fine dell'Ottocento e l'inizio del Novecento, era un paese povero con larghe sacche di miseria estrema, era un paese violento con un tasso di omicidi quindici volte più alto di oggi (uno ogni 5959 abitanti nel 1881 contro uno ogni 91 mila nel 2002), era un paese malato.

Il grande Ernesto Nathan fremeva d'indignazione nel 1906 raccontando nel libro *Vent'anni di vita italiana attraverso l'annuario* i risultati delle visite mediche di leva: «Il fatto brutale rimane là, inalterabile, inaccessibile a tutti gli argomenti: di 188.042 giovani visitati nel 1871 si scartarono 97.090; di 384.749 visitati nel 1901 si scartarono 193.183. Oggi, come allora, a tanta distanza di tempo e di italo governo, con certificato ufficiale, timbrato dal ministero della Guerra, si dichiara che la metà della gioventù italiana, per deficienza toracica o per rachitide, per bassissima statura o per grave e cronico malore, è inferma, non atta ad un servizio che altro non richiede se non condizioni di salute normali! E cotesta ufficiale sospensione di pagamenti in fatto di igiene divenne più manifesta quando si volle da fisso conguagliare il minimo di statura alla capacità toracica, accogliendo così nei quadri soldatini di assai modeste dimensioni».

L'età media in cui gli italiani morivano, stando agli impolveriti annuari dell'archivio storico dell'Istat, era così spaventosamente bassa da dire tutto.

ETÀ MEDIA IN CUI SI MORIVA IN ITALIA

DECENNI	ETÀ
1861-70	6,58
1871-80	6,50
1881-90	6,44
1891-1900	14,64
1901-10	24,99
1911-20	30,06
1921-30	43,59
1931-40	57,84
1941-50	58,56

A sfalsare tutti i dati, erano le raggelanti tabelle sulla mortalità infantile. Anche queste conservate all'archivio storico dell'Istat.

LA MORTALITÀ INFANTILE IN ITALIA: 1861-1980

DECENNIO	MEDIA MORTI ANNUALE	MORTI SOTTO I 5 ANNI
1861-70	763.533	363.188
1871-80	819.514	387.689
1881-90	799.129	381.844
1891-1900	759.331	333.410
1901-10	719.565	287.514
1911-20	735.543	243.867
1921-30	647.204	209.362
1931-40	596.618	154.941
1941-50	571.719	117.625
1951-60	468.783	55.826
1961-70	510.196	38.863
1971-80	541.115	19.248

Nei decenni della grande emigrazione la malattia, il dolore, la morte delle persone care erano «presenze» che facevano parte della vita dell'Italia contadina al pari dell'acqua e della terra, del sole e della grandine. Erano immanenti. E talvolta la rassegnazione alla ineluttabilità del destino era tale da trascinare all'abbrutimento. «Il carbonchio e l'afta epizootica decimavano gli animali nelle stalle, e se moriva una mucca, un maiale o una pecora era lutto per tutta la famiglia» spiega in *Brasile per sempre*, Francesca Massarotto Raouik. «La mucca era l'animale cui il contadino teneva di più: se moriva, si disperava come se gli fosse venuta a mancare la moglie, o uno dei suoi figli.»

E si faceva davvero in fretta, a morire. All'inizio del Novecento, scrive Edoardo Pittalis nel suo *Dalle Tre Venezie al Nordest*, «l'ufficio di igiene di Padova può affermare che un quinto della popolazione è affetto da tubercolosi: "Sono molti, più assai che non si pensi; ora dobbiamo aumentare la dose: i tubercolosi sono moltissimi... E oggi il medico di riparto ci dice che quasi ogni famiglia ha in casa un tubercoloso. Che non infrequentemente più tubercolosi languono sotto lo stesso tetto, spesso nello stesso ambiente" mentre a Udine "una commissione d'inchiesta segnala il dilagare della tubercolosi che trova favorevoli condizioni d'ambiente in quelle abitazioni buie, sudicie, anguste, in cui si agglomerano poveri individui denutriti, senza distinzione di sesso e di età, i quali si comunicano con la loro vita in comune la fatale malattia"».

La relazione scritta dal medico condotto Luigi Alpago Novello che aveva lavorato, agli sgoccioli dell'Ottocento, tra i contadini trevigiani, relazione pubblicata nella *Monografia agraria dei distretti di Cone-*

gliano, Oderzo e Vittorio, toglie il respiro: «Gli individui di una famiglia di contadini sono valutati in ragione dell'utile che apportano. La morte di quelli che sono impotenti o poco adatti al lavoro o giacciono a letto da qualche tempo è un fatto che ha minore importanza e cagiona molte volte minor dolore della morte, non dirò di un grosso animale bovino, ma anche di una semplice pecora.

«Se si ammala un bovino la famiglia si butta nella disperazione» proseguiva il rapporto, «corre dal veterinario (se la cura è gratuita) o da un empirico ed eseguisce tutte le operazioni appuntino... Spesse volte si percorrono molti chilometri per chiamare il veterinario affinché venga a visitare un vitello "che ha poca voglia di mangiare"; si lasciano invece ammalarsi e morire i bambini senza far appello al medico o senza per lo meno eseguire le di lui prescrizioni».

L'estraneità a sentimenti oggi universalmente condivisi era tale, spiega la Massarotto Raouik, che lo sbigottito Alpago Novello racconta la storia di un contadino «disceso dai monti che, dopo essersi consultato con lui a proposito di un figlio malato e fattosi prescrivere la ricetta, corre al negozio vicino per acquistare dei chiodi. "Perché dei chiodi?" gli chiede il medico e il contadino spiega che, volendo fare un unico viaggio e due servizi ha acquistato anche i chiodi per la bara del figlio malato, nel caso fosse morto. Evitando così di ridiscendere un'altra volta dalla montagna...». Un episodio che «mostra l'incredibile senso di rassegnazione dei contadini ad un destino brutale che né medici né medicine possono contraddire».

Non diversa, all'altro capo della penisola, era la disperazione stordita, innocente e feroce del profondo

Sud. Dove imperversava la malaria al punto di far dire a Giustino Fortunato che «non intende nulla della storia e dei problemi del Mezzogiorno chi prescinde, anche solo in parte, da quella vera maledizione che è per l'Italia Meridionale la malaria. Passa il terremoto, passa la peste, dice il contadino del Mezzogiorno, ma la malaria resta». Dove si erano creati nei secoli, all'interno della società, rapporti tali da spingere Ignazio Silone in *Fontamara* a mettere in bocca a un contadino la celebre e umiliante scala gerarchica: «In capo a tutti c'è Dio, padrone del cielo. Questo ognuno lo sa. Poi viene il principe Torlonia, padrone della terra. Poi vengono le guardie del principe. Poi vengono i cani delle guardie del principe. Poi nulla. Poi, ancora nulla. Poi, ancora nulla. Poi vengono i cafoni. E si può dire ch'è finito».

Un Sud dove le rivolte delle plebi affamate erano state liquidate sempre e comunque come «brigantaggio», con conseguente esibizione di muscoli e crudeltà infamanti come le sevizie barbariche raccontate nel libro *I figli di Colombo* dallo studioso italoamericano Erik Amfitheatrof: «Tradito e legato dai suoi seguaci mentre dormiva nella foresta di Cassano, Benincasa fu portato a Cosenza, e il generale Mahnes ordinò che gli si tagliassero tutt'e due le mani, e lo si portasse, così mutilato, a casa sua, in San Giovanni, dove sarebbe stato impiccato. Una durissima sentenza che il bandito accolse con un amaro sorriso. La sua mano destra fu mozzata e il moncone gli fu legato e bendato, non per compassione o per riguardo alla sua vita, ma perché non perdesse tutto il sangue visto che gli era riservata ben più atroce morte. Non gli sfuggì un grido, e quando vide che la prima operazione era terminata, mise spontaneamente la sinistra sul ceppo e guardò freddamente la seconda opera di mutilazione. Vide le sue mani mozzate in terra, che poi furono legate dai pollici e appese intorno al suo collo».

Era un Mezzogiorno tradito, incattivito e disperato. E lo sarebbe rimasto, gonfiando le liste dei transatlantici in partenza, per decenni e decenni. Basti rileggere la lettera che l'arciprete della calabrese Africo avrebbe inviato a Umberto Zanotti Bianco, il presidente della Croce Rossa Italiana, nel 1928: «In questi venti mesi niente ho avuto da invidiare ai nostri missionari della Somalia, Eritrea ed Australia. Da parecchio non si battezzano i bambini, i moribondi con la disperazione dell'infedele, i morti portati come semplici carogne al così detto cimitero, affidato alle pecore e ai maiali!

«La Chiesa quasi diruta, aperta senza finestre piena di buchi [...] piena di fango [...] in balia degli animali! Oh, cosa orrenda! Le Sacre Specie le trovai senza lampada, sopra un altare lurido ed infracidito, in una cassetta rozza di latta da petrolio! [...] senza essere neppure foderata da carta! Nere infracidite, piene di vermi! [...] Il popolo degradato all'eccesso non conosceva pudore! [...] Uniti senza matrimonio ecclesiastico, spesso senza civile [...]. Uso bestie! Vivono in vere tane di circa 8 o 10 metri quadrati di area, albergano e dormono quasi insieme, i genitori, i figli, il maiale, delle pecore, delle galline ed altre bestioline innominabili!

«L'igiene, com'è immaginabile, non la conobbero mai. Luridi alla faccia ed alle estremità, nelle vesti o stracci penzolanti sulle carni, non potendo sedersi in casa, priva di sedie e di spazio, si vedono accantucciati

per le viuzze del paese, piene di fango. Per conseguenza, le malattie invadono e soggiornano senza tre-
gua. I poveri infelici, per giunta, sono senza medico e
senza medicine. Non si trova pane, la miseria regna
sovrana».

Come si poteva restare? Ma la domanda vera, la
più dura e straziante, si sarebbe presentata nei porti
di arrivo, nelle Americhe o in Australia: come potevano essere sani uomini e donne e bambini che venivano da un paese così malato? Una diffidenza venata
di xenofobia che avremmo pagato con piccole e
grandi umiliazioni personali.

CHE BUONI I LUPI DEL CANADA!

Una folla di illusionisti per adescare i clienti

E i lupi? D'accordo, ci sono «ma sono assai più piccoli di quelli della Francia e non fanno mai male a nessuno». E gli inverni? D'accordo, sono interminabili, ma hanno il loro bello perché quella «è la stagione degli affari, delle visite, delle passeggiate, delle veglie». La neve? D'accordo, ne viene giù a montagne «ma dà meno fastidio di quella europea». Eugenio Balzan, autore di un memorabile reportage sul «Corriere della Sera» del 20 aprile 1901 intitolato *Sull'Oceano con gli emigranti*, era combattuto tra l'indignazione e il divertimento, nel raccontare gli opuscoli che avevano accalappiato tanti contadini di mezza Europa convincendoli a vendere tutto e a salire su quel piroscafo per cercare fortuna in Canada.

Certo, molti anni dopo l'idea del grande paese del Nord sarebbe cambiata anche da noi grazie alla canzoncina primaverile e allegra di Gino Latilla: «Aveva una casetta piccolina in Canadà / con vasche, pesciolini e tanti fiori di lillà...». Ma allora, con l'impazzimento che c'era per gli Stati Uniti e l'Argentina e il Brasile, mica era facile proporre ai contadini europei, che da secoli vedevano nell'inverno il nemico, il gelo, la fame, un immenso territorio di foreste e laghi ghiacciati, orsi e distese di neve quali erano l'Ontario, il Quebec o l'Alberta.

Non era facile, ma quegli opuscoli distribuiti dalle agenzie di mediazione in giro per il vecchio continente ci provavano senza risparmiare una lusinga, un ammiccamento, un gioco di parole. Fino a «vendere» un paradiso: «Il contadino troverà un Paese prospero, dotato di buone leggi, colle sue scuole e le sue chiese e le sue istituzioni, il suo commercio e le sue industrie. Una vera terra promessa dove la fortuna e l'agiatezza aspettano l'uomo laborioso». Certo, sorrideva ironico il mitico inviato del «Corriere», «ammettono che in Canadà, come in tutta l'America del Nord, gli inverni sono più rigidi che in Europa, ma fanno notare che [...] "è un fatto che gli europei soffrono meno il freddo in Canadà che nei loro Paesi"[...] Eppoi "la neve al Canadà non è così sgradevole come quella della Francia, del Belgio e dell'Inghilterra"». Ma davvero? «Nel Canadà è secca e quindi non bagna, protegge il suolo e lo feconda. Per effetto del freddo essa indurisce e forma delle magnifiche strade che permettono ai boscaioli di penetrare nelle foreste per tagliarvi la legna e agli agricoltori di portare le loro derrate al mercato.

«Ogni visitatore imparziale troverà certamente il Canadà superiore per molti aspetti alla Francia e al Belgio» continuava il dépliant strappando al giornalista un ghigno: «L'opuscolo è diretto ai contadini di questi due stati: chissà cosa direbbe se fosse diretto agli agricoltori italiani...». Per non parlare di tutte quelle cose odiate dai contadini: «Quanto a vita materiale gli agricoltori canadesi vivono più agiatamente che non i francesi e i belgi. Da essi non si trovano case coperte di paglia e coi pavimenti di terra e col letame ammonticchiato davanti alla porta. Nessuno porta la *blouse* e gli zoccoli e ciò si spiega facilmente. In Francia non ci sono più terre disponibili e non è che a forza di privazioni che il povero può diventarvi proprietario di 3 o 4 ettari di terra, mentre nel Canadà ogni uomo che abbia compiuto 18 anni, ricevendo gratuitamente 64 ettari di buona terra, può col solo suo lavoro e con pochissimo danaro [...] acquistarsi prontamente una bella agiatezza».

Basta con la schiavitù del campo, della stalla, del concime, del pollaio: «L'agricoltore nel Canadà non lavora che otto mesi ma ciò gli basta per vivere durante tutto l'anno con un'agiatezza di cui voi non potete avere idea. Recatevi da lui quando che sia, ma specialmente d'inverno, e vedrete come viva sontuosamente, come pratichi l'ospitalità nella sua bella casetta». Volete mettere? Non c'è paragone: «Molti borghesi europei stanno peggio di lui. In quasi tutte le case coloniche troverete macchine per cucire, spesso il piano e sempre una sala da ricevere e la più squisita nettezza». Insomma: se gli agricoltori francesi, belgi o italiani «sapessero come il colono canadese viva felice e soddisfatto, verrebbero a centomila alla volta nel Canadà per trovarvi come lui la fortuna sul lotto di 64 ettari, che è dato gratuitamente ad ogni uomo di almeno 18 anni. Perché dunque rimanere nella Vecchia Europa, sovraccarica d'imposte e di popolazione?».

«Perché rimanere?» E la domanda rimbalzava tra le desolate terre siciliane derubate dell'acqua dai baroni usurpatori che talvolta rivendicavano il loro diritto a fare ciò che volevano invocando perfino atti di concessione rilasciati da Alfonso d'Aragona nel 1463.

«Perché rimanere?» E se lo chiedevano i montanari dei borghi appenninici descritti da Charles Dickens nel suo *Visioni d'Italia*: «Attraversiamo i paesi più rovinati e sbrindellati che si possano immaginare. Non c'è una casa in essi che abbia una finestra sana, non un contadino che mostri l'abito senza toppe, non una miserabile bottega in cui si veda qualcosa da mettere sotto i denti». «Perché rimanere?» E se lo ripetevano i contadini del Veneto da troppo tempo affamati, falciati dalla malaria e dalla tisi, bastonati da una catena di alluvioni, epidemie e disgrazie di ogni genere riassunte con forza straordinaria da una poesia di Berto Barbarani del 1886 dal titolo *I va in Merica*, cioè «Vanno in America»: «Fulminadi da un fraco de tempesta, / l'erba dei pra' par 'na metà passìa, / brusà le vigne da la malatia / che no lassa i vilani mai de pèsta; / ipotecado tuto quel che resta, /col formento che val 'na carestia, / ogni paese el ga la so angonia / e le fameie un pelagroso a testa! // Crepà la vaca che dasea el formaio, / morta la dona a partorir 'na fiola, / protestà le cambiale dal notaio, / una festa, seradi a l'ostaria, / co un gran pugno batù sora la tola: / "Porca Italia" i bastiema: "andemo via!"».

Bastava un po' di miele, per eccitare la fantasia affamata della povera gente che affollava la penisola. Figuratevi l'effetto che poteva fare la promessa di 64 ettari a testa per famiglia: 64 ettari di terra! Tutto il paese, come scrisse padre Pietro Maldotti nella sua *Relazione sull'operato della missione del porto di Genova dal 1894 al 1898 e sui due viaggi al Brasile*, era battuto, borgo per borgo, casa per casa, metro per metro, da una torma di venditori di sogni: «Le più squisite canaglie, gli spostati di ogni fatta, gli analfabeti più provati, confusi con persone di onestà indiscussa, corsero a formare, a ingrossare l'esercito dei nuovi professionisti. Forti del loro inatteso diritto, diedero audaci la scalata alle prefetture, alle sottoprefetture, e ne strapparono fino a ventimila patenti, con le quali in tasca scorrazzavano le campagne a fare la legalissima propaganda.

«Da per tutto sono sparsi commessi che fiutano intorno la miseria e il malcontento e offrono il biglietto d'imbarco a quei disgraziati che vogliono abbandonare la patria, o li eccitano a vendere la casa, le masserizie e la terra, per procurarsi il denaro per il viaggio» spiegava G. Zagari nell'articolo *L'emigrazione* pubblicato dalla rivista marchigiana «Picenum» nel 1910 e ripresa da Amoreno Martellini nella *Storia dell'emigrazione italiana* edita da Donzelli. «I medici che studiano la potenza della suggestione potrebbero fare delle osservazioni sicure sugli emigranti per vedere come un'idea introdotta nel cervello possa agire quasi senza partecipazione della coscienza sulla volontà dell'uomo. L'inedia, la debolezza, l'abbattimento esaltano l'eccitabilità e rendono più facile la suggestione. Il vettore stende a questi miseri la mano per rialzarli ed impiega tutta l'arte del suo mestiere per impressionarli, per avvincerli, per gettare nel loro cervello l'idea della redenzione. Ottenuta la promessa egli li risolve a mantenerla, ad eseguire la risoluzione presa: sostenendoli se titubanti, sospingendoli se indietreggiano.»

Era, come scrisse A. Franzoni sulla «Rivista d'Italia» nell'articolo *L'Italia al Brasile* nel 1908, «una razza nuova di negrieri, poco dissimile dall'antica per avidità e mancanza di scrupoli (senza avere di quella il coraggio, perché protetta ed incoraggiata da governanti altrettanto avidi od incoscienti)». Una razza bastarda che, con quello che c'era da guadagnare nell'affare, «sorse d'incanto». Bastava solo, per fare i soldi, non avere scrupoli. Come non li avevano, per esempio, i faccendieri dell'agenzia svizzera Corecco & Brivio citati dallo stesso Martellini, che cercavano di adescare passeggeri per i transatlantici che partivano da Le Havre verso il Canada. E poiché tanti poveretti sognavano New York, ma erano angosciati dalle voci sugli emigranti respinti all'arrivo perché malati di tracoma o perché non avevano saputo contare da 20 a 1 andando a ritroso, approfittavano del loro incubo per raccontare in un volantino che «sbarcando al Canadà non si è sottoposti a nessun interrogatorio. Allo sbarco non si esige produzione di moneta. Tutti hanno libero sbarco, se abili al lavoro, esenti da malattie contagiose, come congiuntivite, tracoma, ecc. e non oltrepassanti i 60 anni. A tali condizioni sono ammessi anche i guerci, gli zoppi, quelli aventi ernia come pure coloro che avessero la testa pelata per la sofferta tigna».

Imbroglioni maledetti mille volte dai truffati, di padre in figlio, di generazione in generazione. Imbroglioni che, per usare le parole di Eric J. Hobsbawm nel saggio *Il trionfo della borghesia*, «si arricchivano istradando il bestiame umano nelle stive delle compagnie di navigazione ansiose di riempirle, verso le autorità pubbliche o le compagnie ferroviarie interessate a popolare territori semideserti, i proprietari di miniere, i padroni di ferriere e altri assuntori di rude manodopera bisognosi di braccia. Erano pagati da questi, oltre che dai soldini di uomini e donne senza vie di scampo, forse costretti a percorrere la metà di un continente sconosciuto prima ancora di imbarcarsi per l'Atlantico».

Uno di loro si chiamava Cianci Pitocco e alla fine degli anni Settanta dell'Ottocento convinse un gruppo di contadini della Valsugana, prostrati da una serie di calamità naturali, a partire per il Brasile. I poveretti raccolsero i soldi che servivano per il viaggio e l'insediamento nel Nuovo Mondo vendendo tutto quello che avevano. Il mediatore prese il malloppo, partì per Vienna e sparì: «Quand'ero piccolo mi ricordo che mio nonno mi diceva che c'era andato davvero in Brasile, quella canaglia» raccontava ancora qualche anno fa Giovanni Tissot, il discendente più anziano di quei truffati. «Da solo, però. Con tutti i nostri soldi.»

Rimasti senza nulla, i poveretti chiesero aiuto a Francesco Giuseppe, che aveva appena ricevuto al Congresso di Berlino del 1878 la delega ad amministrare la Bosnia e l'Erzegovina da anni in rivolta contro l'occupazione ottomana. E l'imperatore d'Austria, deciso a riportare il cristianesimo e i valori occidentali in quelle terre per secoli sotto il tallone turco, li infilò dentro il suo ambizioso progetto di costruire laggiù una piccola Europa austroungarica con immigrati da tutti i suoi possedimenti: russi e tedeschi, polacchi e ungheresi, sloveni e tirolesi di lingua italiana. E fu così che i nostri eroi, dopo aver sognato i piroscafi per l'America, partirono dal Trentino con i carri e i buoi e le forche e i tralci di merlot e di schiava per raggiungere, dopo un viaggio interminabile (riassunto oggi nell'affresco dietro l'altare della chiesetta) Stivor, un paese a una quarantina di chilometri a est di Banja Luka, sulle colline dolci e boscose ai margini della piana bosniaca della Sava, a metà strada tra Zagabria e Belgrado.

Mille volte è stato maledetto, Cianci Pitocco, dalla piccola comunità trentina finita in Bosnia e sconvolta alla fine del Novecento dalla guerra fratricida jugoslava. E mille volte un'altra piccola comunità trentina ha maledetto un altro faccendiere con il pelo sullo stomaco, un certo Pierre Boero che, racconta Renzo Grosselli in *Storie dell'emigrazione trentina*, «agiva come armatore a Marsiglia e si appoggiava a Verona, sull'Agenzia Barbieri».

Era il 1878. «Secondo certe informazioni che la polizia austriaca riuscì ad ottenere da quella italiana, il Barbieri prometteva alla gente il trasporto verso l'Australia, dirottandola invece in Guatemala. Ma i dépliant del Boero raggiunsero a migliaia il Trentino, spediti specialmente ai capi-comune. E parlavano espressamente della repubblica del Centro America. "Guadagnano più che al Brasile" vi si diceva "e il clima è cento, mille volte più buono; in pochi anni si fanno una fortuna. Da l'anno scorso che abbiamo incominciato le spedizioni si trovano diggià formate varie colonie di tirolesi, parte di Fornace, che ci aveva condotti il capo-comune stesso".»

L'anno successivo, continua Grosselli «giunse in Trentino una lettera che parlava di quella gente emigrata in Guatemala. L'aveva spedita a "La Voce Cattolica" un missionario gesuita italiano, Domenico Chiarello, da Belize City, la capitale dell'allora Honduras Britannico e oggi Belize: un lembo di terra abitato soprattutto da genti di colore e avvolto dalla foresta tropicale, confinante a nordest con il Guatemala». Vale la pena di rileggerla integralmente.

«Belize, 10 gennaio 1879. L'anno scorso partivano dal Tirolo italiano 50 persone, che emigravano per portarsi in Brasile, dove già avevano altri parenti e conoscenti. Passato già qualche tempo da che erano in mare, il bastimento arrivò ad un porto di Guatemala, detto S. Thomas; quivi il capitano invitò i passeggeri a smontare per ricrearsi. Vi avevano altri 350 italiani. Quando tutti furono smontati, il capitano diè vela, abbandonandoli tutti, eccetto due, sulla spiaggia.

«Il birbone, a quel che pare, era parte intesa col governo di Guatemala perché si sa che ne ricevette 2000 scudi: aggiungi che pochi giorni dopo lo sbarco arrivarono dalla capitale ogni sorta di provvisioni, non solo ma perfino una banda musicale in segno di festa per l'arrivo degli emigrati. Ai poveretti, che ormai si tenevano per disperati, non sembrava vero di trovare una tale accoglienza. Furono alloggiati magnificamente e ben trattati.

«Subito si pensò di dividerli e a dar loro terreno da coltivare, e anche buoni patti se si vuole. I nostri italiani del Tirolo ebbero anch'essi la loro parte, seminarono e già era cresciuto il grano turco, quando un'inondazione di insetti lo mangiò in erba. Cominciarono anche le malattie, e dietro le malattie le morti: di 50 ne morirono 32 sul luogo; altri 2 morirono più tardi.

«Spaventati da tante morti, risolverono di mettersi in viaggio per l'Italia. Erano appunto 8 giorni che io ero ritornato a Belize, nel novembre, quando sento dire di essere arrivata una famiglia italiana di 13 persone, quasi tutti infermi e che abitano in un pollaio e in un luogo comune. Avevano passato difatti 3 giorni in mezzo alle immondezze, finché trovarono chi loro procurò una casa un po' più comoda e decente al prezzo però di 10 scudi mensili. Una persona mi venne ad insegnare la loro dimora; mi recai colà, e appena entrato mi si presentò alla vista uno spettacolo miserando. Soli due uomini mi si fecero incontro: tutti gli altri stavano, come infermi, sdraiati sulle assi.

«La prima, a cui mi accostai, fu la vecchia di casa che stava per morire. Mi domandò per carità di confessarsi, perché sono 2 mesi, padre, diceva, che non mi confesso e sento che me ne vado. Frattanto da tutti gli altri, quando mi udirono parlare italiano, uscì un grido comune: "Sia ringraziato Dio che abbiamo ritrovato un padre italiano che ci può confessare". V'erano 9 infermi, contando come tali quelli solo che non potevano levarsi. Mi cavarono le lagrime, specialmente quando mi domandarono con ansia nel loro dialetto, che portassi il Signore Iddio alla loro madre; e avendo io risposto che sì, domandarono ancora di accompagnare il Santo Viatico per la strada. Ma io dovetti loro rispondere che qui non c'è questo costume, e poi come potevano uscire che non potevano reggersi in piedi?

«Partii dunque tosto per prendere il Santo Viatico. Quando rientrai in quella povera casa, un altro spettacolo mi si presentò davanti. Tutte le ragazze vestite a festa, col velo in capo, inginocchiate e chine fino a terra con la faccia tra le mani. Comunicai l'inferma, le diedi gli Olii Santi restando sempre gli astanti nella stessa posizione. Non potei in verità contenere le lagrime. E che famiglia è questa? Era una famiglia molto benestante del Tirolo; avevano molino, sega, campagne, ecc. Per seguire l'invito di alcuni amici e parenti che stanno in Brasile, per poco o niente vendettero tutto per portarsi a far fortuna in Brasile. Pagarono il viaggio fino in Brasile, e come vi ho detto furono lasciati in Guatemala.

«Erano ben forniti di denaro, e finché furono sani non badarono a spendere senza risparmio. In Guatemala impiegarono una grossa somma per ridurre un bosco a campagna coltivata; le malattie o le morti portarono altre spese forti. Il viaggio da Guatemala a Izabal, e da Izabal fin qui a Belize asciugò tutto il pecunio insieme agli orecchini e coll'oro della moglie e delle figliuole, cosicché arrivarono qua senza un quattrino. Ma come vivono? Tre o quattro uomini liberi e un vedovo con 2 figlioletti, ché la moglie morì nel viaggio, procurano il guadagnarsi il pane lavorando; ma non so se la dureranno sotto questo sole. Questi fanno da sé. Il resto si compone della vecchia madre in età di 64 anni, donna di rara virtù, di un suo figlio che ha moglie e 2 figlioletti, e di 3 figliuole nubili, delle quali la più giovane ha 21 anni.

«Queste 7 persone sono tutte a carico del figlio, che è costretto a guadagnarsi 6 reali al giorno lavorando sotto questa sferza di sole. La povera sposa andava per le case a domandare la carità. Ma ora, sono quindici giorni, gli stenti e il crepacuore la stesero in letto. E le donne, direte? perché non si danno le mani d'attorno tanto da guadagnarsi qualche cosa? Si pensò di mettere le 3 figliuole a servizio. Ma qui le serve sono considerate come bestie da soma, o per meglio dire [...] (taccio per non offendere le orecchie). Il miglior ripiego sarebbe di porle in salvo rimandandole a casa loro; ma manca il denaro per viaggio.»

Schiavi, erano. Venduti come schiavi, comprati come schiavi, trattati come schiavi. E così li vedevano infatti, i *fazendeiros* brasiliani che dopo aver costruito la loro fortuna sugli schiavi neri deportati dall'Africa l'avrebbero consolidata sfruttando per tutti i lavori più pesanti e servili i contadini italiani, in particolare i veneti. Racconta Emilio Franzina nel saggio *La terra, la violenza, la frontiera*: «Un telegramma d'un *fazendeiro* brasiliano, reclamava perfino un carico di giovanette italiane, dai 16 ai 25 anni, per surrogare le abolite schiave nella lavanda dei piedi ai padroni quando essi rientravano impolverati e stanchi dalle piantagioni del caffè».

«Il progetto di immigrazione che i piantatori avevano approntato era ingegnoso» spiega Michael Hall in *Emigrazione italiana a San Paolo tra 1880 e 1920.* «Esso comportava inizialmente il pagamento del viaggio dall'Europa a San Paolo per famiglie di lavoratori agricoli. Il sussidio era riservato esclusivamente per ridurre l'incidenza delle riemigrazioni, dal momento che [...] coloro che aspiravano ad emigrare in Brasile, erano generalmente persone "prive di qualsiasi risorsa", ed era perciò assai difficile per loro affrontare il prezzo, relativamente alto, del ritorno in patria per un'intera famiglia, se non erano soddisfatti delle loro condizioni a San Paolo. I lavoratori agricoli erano ricercati, almeno in parte, per il fatto che c'erano meno probabilità che fra essi ci fossero "agitatori" che "avrebbero potuto disturbare l'ordine pubblico".»

Il Brasile insomma non voleva ricchi investitori ma miserabili braccianti: «Richiedeva e riceveva immigranti afflitti da povertà disperata, così poveri che non potevano né comperare la terra su cui lavoravano né intraprendere piccole attività, ma erano costretti ad andare a lavorare nelle piantagioni. Immigrati provvisti di denaro, il potente *fazendeiro* Martino Prado lo affermava apertamente, "non ci servono"».

E chi c'era di meglio, sulla piazza mondiale, dei

contadini veneti che per buona educazione erano abituati a rispondere a ogni domanda «comandi»? «Non sono anarchici, non sono rivoluzionari, non sono nemmeno repubblicani; di scienza sociale sanno solo quel tanto che ne dice loro continuamente il loro stomaco: sono bestie in sembianza umana, bestie affamate» si legge nel saggio *Gli schiavi del Veneto* pubblicato dalla rivista socialista lombarda «La Plebe» nel 1883. «Hanno dato qualche scappellotto ai rappresentanti dei loro vampiri, hanno macellato un bue perché non reggevano più agli stimoli della fame, ecco perché il Veneto pare un campo di battaglia, ove soldati di tutte le armi, birri di tutte le specie danno la caccia ad un nemico terribile, ma inafferrabile, la fame. Hanno domandato misericordia e giustizia nelle debite forme al ministro dell'Interno e al ministro di Giustizia, e il primo manda i suoi pretoriani ad arrestarli e all'occorrenza a sciabolarli e fucilarli, e il secondo si riserva di farli condannare dai suoi giudici. Ma nessuno pensa alla causa di questa agitazione; chi sogna di porvi rimedio è pazzo e si manda al manicomio o in galera.»

Arrigo De Zettiry, un funzionario degli Esteri inviato dal ministro Giulio Prinetti a controllare come vivessero i nostri in Brasile, conferma, ne *I coloni italiani nello Stato di San Paolo* pubblicato sempre nel 1883, la medesima opinione: «Il colono italiano è lavoratore indefesso, resistente, diligente. Sorge il sole sull'orizzonte e già lo si trova nel campo a lavorare. Gli ultimi suoi raggi rischiarano il cammino quando egli ritorna alla colonia. Pochi minuti bastano al nostro contadino di colà per la sua refezione quotidiana e meridiana. Lavora gaio, sollecito, non considera il lavoro come una croce, ma piuttosto come una distrazione; non come un aggravio, ma come una necessità delle sue membra robuste.

«Osserviamolo pure mentre è intento nel campo al suo lavoro, in compagnia della moglie e dei figli e vedremo l'antitesi del quadro che il poeta Heine ci offre dei minatori che ad ogni colpo del piccone maledicono il loro re "che viscere non ha", e maledicono "il buon Dio che li saziò di scherno" [...] E dove attinge quell'uomo tanta forza d'animo, tanta abnegazione pel sacrifizio? Questa forza morale, che fa tanto meraviglia a noi che ce ne sentiamo privi, il colono italiano l'attinge nel suo immenso amore alla patria. [...] Ma non dissi bene, nello amore alla patria. Conversando col contadino italiano con comodità, lasciandolo anzi parlare e scrutandone i sentimenti, si giunge ad accorgersi che non è un vero e proprio amore di patria il suo, ma amore del villaggio nativo [...] l'intelligenza del colono non arriva a separare l'idea della patria da quella del governo del suo paese non solo colle parole – usando indifferentemente dire l'"Italia" o il "Governo Italiano" – ma anche coi sentimenti che manifesta, mostra di fare un carico alla patria delle disgrazie che lo afflissero e della necessità che lo fece emigrare. Le parole "Governo Italiano" fanno a lui orrore come fosse un flagello o un dio irato, dispensatore di saetta sotto forma di balzelli, di ingiustizie, di miserie».

Un sentimento che emergeva anche da una filastrocca popolare di rimpianto per l'antica e amata Repubblica Serenissima: «Co San Marco comandava / se disnava e se cenava / soto Franza brava zente se disnava solamente / soto casa de Lorena no se disna e no se cena / soto casa de Savoia de magnare te ga voja».

Buttare lì un sogno, in mezzo a quella disperazione e a quell'astio per il governo, per Roma, per i ricchi, era come gettare un fiammifero in un fienile. E furono in tanti, a buttare fiammiferi. Non solo nel Veneto ma in tutta la pianura padana e i borghi appenninici e le campagne meridionali: «La propaganda fu implacabile e irrefrenabilmente scandalosa» scrisse padre Pietro Maldotti, «fino a vedersene alcuni nelle valli bergamasche a predicare dalle carrozze, vestiti eccentricamente come i saltimbanchi, su per i mercati e negli stessi sagrati delle chiese, intorno alle ricchezze straordinarie, alle fortune colossali preparate a coloro che si fossero diretti in America».

Era il grande business, l'emigrazione. Che poteva far diventare un faccendiere spregiudicato estremamente ricco: «Non appena il fenomeno comincia ad estendersi a macchia d'olio in tutto il Paese, già a partire dalla fine degli anni Settanta dell'Ottocento» scrive Amoreno Martellini, «le agenzie iniziano a dotarsi di loro rappresentanti sul territorio che svolgono operazioni di reclutamento di emigranti per conto dell'agente: costoro vengono detti sub-agenti». E giù giù a cascata, coi sub-agenti dei sub-agenti fino all'anello terminale di questa catena che poteva essere il macellaio, il salumiere, il barbiere o addirittura il parroco. Quelli che meglio potevano sentire «il termometro della febbre migratoria nelle zone di competenza» o eventualmente «diffondere questa febbre nelle aree che ancora ne sono immuni».

Ma quanti erano, alla fine, tutti quelli che si davano da fare per caricare sulle navi in partenza quante più possibili «tonnellate umane»? Tantissimi, risponde Martellini: «Se nel 1892 tale numero viene stimato in poco più di 5000 unità, 3 anni più tardi, nel 1895, esso supera già quota 7000. Ma le nuove rilevazioni, eseguite in occasione del varo della legge sull'emigrazione del 1901, segnalano una cifra superiore alle 10 mila unità, cifra che sfiora quota 13 mila alla fine del primo decennio del Novecento. A questo numero va poi aggiunta una quantità incalcolabile di agenti e reclutatori clandestini che sfuggono a qualsiasi statistica, ma il cui numero non deve essere di molto inferiore a quello degli intermediari regolarmente autorizzati».

Lo scrittore Charles Dickens, citato da Emilio Franzina in *Traversate*, era furente contro tutti questi «arruolatori attivi nelle campagne del Vecchio Mondo» i quali «hanno una percentuale per ogni passeggero che riescono ad accalappiare» e «percorrono instancabilmente quei distretti dove regnano miseria e disperazione e allettano i miseri creduloni [...] facendoli emigrare con promesse mostruosamente false che non potranno mai essere realizzate».

Basti rileggere, nel libro *La storia* di Jerre Mangione e Ben Morreale, il dialogo che si svolse a Catania nel 1888 tra il console americano e un gruppo di anziani che voleva a tutti i costi andare a Palermo per imbarcarsi per «la Merica»: «"In quale parte d'America intendete andare?" chiedeva il console. "Non sappiamo, signore" rispondeva il portavoce. "Ovunque scavino l'oro. Anche se siamo un po' vecchi, possiamo scavare bene perché abbiamo lavorato nelle miniere di zolfo." "Avete parenti, amici o conoscenti che possono prendersi cura di voi al vostro arrivo, o darvi da mangiare fino a quando non trovate qualcosa da fare?" "No, signore, ma abbiamo molti soldi con i quali vivere per 2 anni interi. Tutto quello che guadagneremo in quel periodo lo risparmieremo e torneremo a casa molto ricchi." "Quanti soldi avete con voi?" "Beh, signore, abbiamo circa 169 lire ciascuno. Abbiamo venduto tutto, abbiamo dovuto farlo." "Quella cifra vi basterà solo per comprare il biglietto per la traversata." "Nossignore. Quell'uomo ci ha detto che a Palermo ci daranno gratis i soldi per la traversata." "Quell'uomo si sbaglia" diceva loro il console. "Fatevi dare il biglietto prima di lasciare il paese. Vuole il vostro denaro e vi lascerebbe in miseria"».

E promettevano paludi sì ma senza bisce, montagne sì ma senza strapiombi, oceani da varcare sì ma senza onde, vacche sì ma senza letame e tropici sì ma senza caldo. E viaggi comodi su navi bellissime e colorate e veloci, dove il tempo scorreva in fretta, e certi volantini pubblicitari, racconta ancora Martellini, assicuravano che «tutti i passeggeri hanno i loro posti in cabine a due ed a quattro letti» e «splendide sale da pranzo» e camerieri che servono «a tavola con un trattamento insuperabile» e qualche volta «seguiva perfino la distinta del menu settimanale in cui trovavano posto giornalmente latte, burro, lardo, vino e carne fresca».

E la gente sognava, sognava e partiva.

LAZZARETTI SULL'OCEANO

Il business delle «tonnellate umane»

La paura. Era quella che prendeva allo stomaco i nostri nonni, nelle interminabili settimane che precedevano la partenza: «Hanno sentito raccontare e sanno. Sanno il viaggio faticoso, il lavoro duro che li attende, le privazioni di ogni sorta, le probabili malattie, la morte all'orizzonte: sanno che non si torna più ricchi, sanno che laggiù miseria e disoccupazione sono all'ordine del giorno, e vanno, ma con gli occhi tristi del bestiame che intuisce di correre al macello. Ed è in tutti, malgrado le arie di proletariato cosciente, una profonda ignoranza. Genova sarà per loro un ricordo fugace di sole torrido o di pioggia fangosa, una memoria di noiose formalità, di angherie, di fame, di lunga attesa e di ansie di ogni genere».

Era il 1916, quando uscì quel supplemento «Il porto di Genova» dell'«Illustrazione Italiana» che descriveva la povera gente accampata lungo la calata e le vie che circondavano il porto. Quattordici milioni di italiani se n'erano già andati e anche nei paesi più sperduti erano arrivate lettere su lettere di quanti avevano già raggiunto la loro terra promessa. Tante, come dimostra la raccolta di Emilio Franzina *Merica! Merica!*, facevano luccicare gli occhi e mettevano la febbre addosso a chi accarezzava l'idea di partire, come quella dell'udinese Vittorio Petrei il quale scriveva al padre rimasto a Cavalicco che «in Americha non si muoie di fame si magna pane fresca e carne fresca e uceli aquantita che in i talia non ge nà» e che «qua noi altri siamo si churi di far soldi e non stia aver dispiacere di lasciare la polenta che qua si magna buona carne e buon pane e buoni uceli. I Signori di talia diceva che in america si trova delle bestie feroce, in i talia sono le bestie che sono i signori».

Tante altre lettere, però, trasmesse di bocca in bocca, seminavano nei paesi dubbi, inquietudine, terrore. Come quella spedita al «signor padrone dott. Ferdinando Chisini», dal trevisano Bortolo Rosolen che raccontava di un viaggio spaventoso e interminabile da Pieve di Soligo fino in Brasile, paese che gli si era presentato con il carnaio della Casa della Migrazione di San Paolo: «Quando cominciò inoltrarsi la notte, osservando tutti i piccoli fanciulli e l'intiera famiglia che stanchi del viaggio dormivano coricati sopra le tavole circondati da 10 mila persone io non poteva darmi riposo per sentire che da un lato della stanza piangeva una donna, dall'altra un uomo e osservando i fanciulli, e pensarmi d'essere colpevole di averli fati suplire tante tribulazioni, gli dico la verità signor Padrone che io non poteva tratenermi di piangere lungo la notte, e così passò il mio primo riposo nell'America. [...] Piangendo gli descriverò che dopo pochi giorni si amalò tutti i figli e anche le donne, e noi che ne abbiamo condotto 11 figli nell'America ora siamo rimasti con 5 e gli altri li abbiamo perduti. Lascio a lei a considerare quale e quanta fu la nostra disperazione che se avessi avuto il potere non sarei fermato in America nepur un ora».

Per non dire di testimonianze come quella di un contadino trentino raccolta alla fine dell'Ottocento in Brasile dall'architetto Cristoforo Bonini e pubblicata da Renzo Grosselli nel volume *Storie dell'emigrazione trentina*: «Ah, signore, non è per mia volontà se mi trovo qui. Ascolti, in occasione del nostro imbarco al porto di Genova, per conto del governo brasiliano, ci fu promesso che arrivando a Rio de Janeiro, avremmo potuto essere ospitati 8 giorni per conto dello stesso governo ed in seguito prendere la direzione che giudicassimo più conveniente». Non era vero: arrivati a Rio furono costretti a proseguire per Santos e lì caricati su un treno per San Paolo: «Non fu più una semplice sorpresa per noi, ma un vero spavento, vedere che non riuscivamo ad ottenere che gli impiegati della ferrovia rispondessero alle nostre fervide preghiere di aprire le porte dei vagoni, per poter uscire, nello stesso modo in cui vedevamo uscire gli altri passeggeri del treno. Continuammo quindi a forza, gridando, e sommandosi alle nostre le grida della gente che si trovava agglomerata alla stazione di S. Paolo e che ripeteva: "Partono i prigionieri, e vanno nella foresta vergine come schiavi". Infine, fummo condotti qui contro la nostra volontà».

«Qui» era la *fazenda* di Salto Grande del barone di Indaiatuba. «Qualche contadino abbassò la testa e si mise a lavorare per il *fazendeiro*» scrive Grosselli. «Altri si rifiutarono e tentarono la fuga: vennero imprigionati e lasciati marcire là per mesi, forse per anni. Salto Grande divenne un caso ed un emblema internazionale: la rappresentazione (che non dovrebbe essere generalizzata comunque) della protervia e violenta ingiustizia dei latifondisti del caffè.»

Suonavano a morto le campane, qualche volta, quando gli emigranti si mettevano in viaggio. E avevano ragione di suonare a morto: «Il viaggio transoceanico era un'esperienza ad alto rischio» scrive Augusta Molinari nel saggio *Porti, trasporti, compagnie*. «Si poteva fare naufragio, essere sbarcati in un paese diverso da quello di arrivo. La cosa che accadeva con maggior frequenza era di contrarre malattie contagiose a causa delle condizioni di affollamento e di sporcizia in cui avveniva la traversata. Sintetica ma particolarmente efficace è la descrizione dei dormitori degli emigranti che dà un ufficiale in servizio di emigrazione: "L'impressione di disgustosa ripugnanza che si riceve quando si scende nei dormitori degli emigranti è tale che provata una volta non si dimentica più".» Erano talmente a rischio quelle traversate su bastimenti, spesso delle vere e proprie carrette del mare simili a quelle che oggi sbarcano clandestini sulle coste calabre o a Lampedusa, che era in qualche modo «normale» leggere giornali sanitari di bordo come quello compilato per il viaggio del piroscafo *Città di Torino* da Genova per New York alla fine del 1905: «A oggi su 600 imbarcati ci sono stati 45 decessi dei quali: 20 per febbre tifoide, 10 per malattie broncopolmonari, 7 per morbillo, 5 per influenza, 3 per incidenti in coperta».

Ma l'odissea, che come vedremo nel caso di Cea Venessia poteva durare mesi e mesi prima dell'arrivo alla destinazione scelta o imposta, cominciava fin dalla partenza dal paese. Lo dice il calvario di 3 poveracci di una provincia del Sud, partiti verso Napoli su «un carretto tirato da un somaro o un mulo, ove ciascuno dei 3 provò per 4 giorni le delizie di un viaggio di 100 miglia» raccontato nel 1874 da Giovanni Florenzano nel saggio *Della emigrazione italiana in America comparata alle altre emigrazioni europee*. Lo dicono tante lettere affrante che narrano di marce interminabili per passare, spesso clandestinamente, il confine per poi raggiungere Marsiglia o Le Havre. Marce di cui abbiamo testimonianze preziose, per esempio, in un reportage di Egisto Corradi sul «Corriere d'Informazione» del febbraio 1947, quindi già nel secondo dopoguerra, o nei ricordi di uno spazzacamino valdostano, Philippe «Getto» Gaia, riportati da Benito Mazzi in *Fam, fum, frecc*: «Quando sono partito avevo 14 anni, era il mese di febbraio del '20. Alle cinque del mattino abbiamo preso la carrozza a cavalli, eravamo in 3. [...] A Champrotard dovemmo scendere perché i cavalli erano troppo carichi e soltanto le donne potevano restare in carrozza, noi prendemmo a salire a piedi. [...] Siamo arrivati a mezzogiorno a La Thuile, ma c'erano delle gallerie e noi avevamo paura, avevamo un coltello ciascuno, tirammo fuori il coltello per passare il tunnel nel caso ci fossero dei briganti. Quando siamo arrivati a La Thuile abbiamo mangiato al Caffè del Piccolo San Bernardo. [...]

«Eravamo contenti, ma dopo mangiato bisognava partire a piedi per il Piccolo e dal momento che c'era molta neve abbiamo preso le racchette da neve, ma abbiamo dovuto attendere che si facesse tardi per metterci in cammino perché non avevamo i documenti per passare (la frontiera) [...] per non farci rispedire indietro dai carabinieri [...] allora bisognava aspettare la notte, passare adagio adagio. A mano a mano che si saliva, la strada scompariva per la troppa neve, c'era soltanto la linea del telegrafo. Vedevamo di tanto in tanto i pali [...] spesso non li vedevamo tanta era la neve».

E non è che il viaggio in treno fosse molto più comodo. Soprattutto a partire dalla stazione di smistamento di Basilea dove gli italiani, come ebbe a vedere monsignor Geremia Bonomelli («Scesi per la scala e mi trovai in una specie di bettola, direi quasi di caverna, ripiena di operai, in cui l'odore acre di liquore, di vino, di fumo, di tabacco e l'aria grave, nauseabonda, facevano sentire il bisogno di risalire subito»), non avevano diritto ad accedere alle sale d'aspetto di terza classe. Era lì a Basilea, si legge in una lettera dal Connecticut spedita nel 1898 dalla bellunese Regina Favretti alla sorella Clotilde (e oggi pubblicata ne *Il salto del fosso. Gli zoldani d'America*, di Rudy J. Favretti) che cominciava la *via crucis*: «Da Basilea ad Havre ci si fece viaggiare in treni orribili, pigiati come le acciughe, e ci facevano sfilare in processione da un luogo all'altro in mezzo ad un migliaio di emigranti di tutte le razze e di tutti i colori, cacciati colla frusta come tanti maiali; non ti dico quanto io ne abbia sofferto nella mia dignità e quanto il mio amor proprio si ribellasse a questo indegno trattamento».

Furono moltissimi gli italiani, in larghissima maggioranza regolari ma non solo, che partirono per il Nuovo Mondo dai porti di Marsiglia, Le Havre, Liverpool, Amburgo o Brema. Un po' per le tariffe competitive dato che, come scrive parlando di Le Havre Lorenzo Feraud nel libro *Da Biella a San Francisco di California*, «è difficile che passi un giorno in cui non parta qualche bastimento, delle tante compagnie di navigazione che vi sono, per il Nuovo Mondo». Un po' perché, come spiega la Molinari, molti porti europei erano decisamente più attrezzati dei nostri: «Nel porto di Marsiglia era stato aperto nel 1844 un nuovo bacino di ancoraggio; il porto di Rotterdam disponeva nel 1875 di 7 nuovi bacini collegati con la rete ferroviaria; in quello di Brema era stato creato nel 1866 uno dei bacini di approdo più moderni d'Europa» quando ancora nel 1890 Genova aveva «un solo ponte di imbarco per i passeggeri», per non dire dello sciaguratissimo scalo di Napoli. Ma soprattutto perché, a dispetto di quanto lamentava la nostra signora Favretti che aveva visto solo Le Havre, la vigilanza contro l'assalto ai poveracci da spennare prima della partenza e le condizioni di vitto e alloggio sui bastimenti erano generalmente migliori che da noi.

Come girasse a Genova è presto detto. «Non era raro vedere centinaia di famiglie sdraiate promiscuamente sull'umido pavimento, o sui sacchi, o sulle panche, in lunghi stanzoni, in sotterranei, o soffitte miserabili, senz'aria e senza luce, non solo di notte ma anche di giorno. Le derrate vendute a prezzi favolosi non sfamavano mai gli infelici» denuncia nella sua *Relazione sull'operato della missione del porto di Genova dal 1894 al 1898 e sui due viaggi al Brasile* padre Pietro Maldotti.

Una volta arrivati nei porti, scrive la Molinari nel suo saggio sopra citato, «gli emigranti sono in balia degli agenti delle Compagnie che li accompagnano nelle locande "autorizzate"». Come fossero lo spiegò «Il Caffaro», un quotidiano genovese: «La maggior parte sono oscure e fetenti con letti di una sporcizia inaudita». Descrizione confermata da un verbale del 1903 delle guardie sanitarie comunali: «Nei fondi di detto esercizio in due ambienti privi di aria, sporchi, umidi e puzzolenti dormivano 50 emigranti la maggior parte per terra tra materiali fecali e orina».

E se erano così quelle autorizzate di Genova, immaginate come potevano essere le locande abusive che praticavano prezzi più bassi di quelli ufficiali ed erano sparse non solo sotto la Lanterna ma più ancora intorno ai porti di Napoli, Palermo, Livorno, Messina... I soldi che giravano intorno al traffico di emigranti erano così tanti che quando l'ennesima epidemia di colera costrinse finalmente le autorità ad aprire a Napoli un ricovero per emigranti con farmacia e gabinetto batteriologico e padiglione d'isolamento, scoppiò una mezza rivoluzione con proteste e manifestazioni di piazza da parte di tutte le categorie (locandieri, osti, verdurai, scrivani, contrabbandieri...) che vedevano messi a rischio i loro profitti.

L'assalto all'emigrante, al molo dell'Immacolatella, da parte di mille sanguisughe, era tale che Raffaele Viviani ci scrisse su una commedia, *Scalo marittimo*, dove raccontava la storia di Colantuono. Un poveraccio che sta imbarcandosi nel 1918 con tutta la sua famiglia e, stretto d'assedio da chi vuole fregargli i pochi soldi che ha, intona uno straziato addio alla patria: «E io lasso 'a casa mía, lasso 'o paese, / e me ne vaco 'n America a zappare. / Pe' fa' furtuna parto, e sto nu mese / senza vede cchiú terra: cielo e mare. / E lasso 'a casa mia, l'Italia bella, / pe' ghi luntano assaie, 'n terra straniera. / E sotto a n'atu cielo e n'ata stella / trasporto li guaglioni e la mugliera. / E là accummencia la malincunia / penzanno a la campagna addo so' nato; / a chella vecchia santa 'e mamma mia, / e a tutt' 'e ccose care d' 'o passato. / E ghiennemenne ca 'a speranza 'n core / ca vene 'o juorno che aggi'a riturnà, / saglio cchiù allero a buordo a lu vapore. / Ogge si parto è pe' necessità. / Ma io lasso 'a casa mia, lasso 'o paese...».

Ma era a bordo delle navi che lo sfruttamento diventava spesso bestiale. Basti dire, spiegano Oreste Grossi e Gianfausto Rosoli ne *Il pane duro*, che «il primo esperimento italiano di salone da pranzo per emigranti fu compiuto a bordo del piroscafo *Roma* solo nel 1906. Ma l'uso generalizzato si ebbe ancora più tardi, a opera specialmente del Lloyd italiano». Fino ad allora, «a differenza delle navi straniere per emigranti, quelle italiane non avevano una sala da pranzo e non erano dotate di tavole da pranzo. La distribuzione del cibo era fatta in maniera umiliante, senza l'osservanza delle elementari norme igieniche, per ranci, cioè gruppi di 6 persone, uno dei quali per turno era incaricato del ritiro delle vivande dalla cucina. Fra gente non avvezza alla disciplina, le frodi, le omissioni, i reclami erano all'ordine del giorno e riempivano le relazioni del Commissario di bordo».

Teodorico Rosati, un colonnello medico della Regia Marina autore di importanti lavori dalla parte dei passeggeri più deboli ed esposti, scattò questa fotografia: «Accovacciati sulla coperta, presso le scale, col piatto fra le gambe e il pezzo di pane fra i piedi, i nostri emigranti mangiano il loro pasto come i poverelli alle porte dei conventi. È un avvilimento del lato morale e un pericolo da quello igienico, perché ognuno può immaginarsi che cosa sia una coperta di piroscafo sballottato dal mare, sulla quale si rovesciano tutte le immondizie volontarie e involontarie di quelle popolazioni viaggianti».

Un'immagine non più cruda di quella lasciata nel 1893 ne *L'Europa alla conquista dell'America Latina*, cronaca di un viaggio in Brasile sul piroscafo *Washington* fatto per «sviscerare nelle forme più pratiche il problema dell'emigrazione», da Ferruccio Macola, il fondatore del «Secolo XIX» di Genova che qualche anno dopo avrebbe ucciso in un celeberrimo duello nel giardino di villa Macchi il grande Felice Cavallotti: «Dal ponte di guardia del *Washington*, dove passavo varie ore della giornata, avevo sotto gli occhi tutto quel formicaio umano, costituito dalla massa degli emigranti, oltre a un migliaio, costretti a pigiarsi in uno spazio tutt'al più di 200 metri quadrati. Vedevo quindi tutto, e prendevo nota di quello che più poteva interessare. Ora non passava giorno, che io non fossi obbligato ad assistere allo spettacolo osceno della spidocchiatura, che molte donne praticavano sulle teste dei mariti e dei figli [...]. Ho sempre presente un gruppo formato da marito e moglie. La donna, quantunque non si lavasse mai, e stesse quasi sempre sdraiata a terra, anche perché soffriva il mal di mare, era meno sudicia del marito; vestiva una sottana turchina e un corsetto discretamente bianco; al collo, un fazzoletto di seta color arancio. Un bel giorno la vidi tenere la testa del marito fra le ginocchia, occupata a liberarlo delle note molestie. Ebbene, di tanto in tanto, dopo aver con aria di grande soddisfazione fatto schiattare qualche fedele inquilino della cervice maritale, raccattava dalle propria ginocchia colla stessa mano giustiziera, un pezzetto di biscotto, lo addentava, lo rimetteva a posto, continuava la strage, poi riaddentava il biscotto e via così. Il lazzarone intanto colla pancia all'aria e col cuoio capelluto dolcemente solleticato, si estasiava guardando il cielo, e canticchiando a bassa voce: "Frunn'a la ri la ra frunn'a e limone"».

Potevano quegli italiani, in gran parte analfabeti cresciuti in abitazioni malsane, avere un'idea dell'importanza dell'igiene se, nonostante le raccomandazioni fatte qualche decennio prima dall'ungherese Ignaz Semmelweis, avevano visto loro stessi certi dottori nelle campagne piemontesi o campane assistere le partorienti senza lavarsi le mani? Se perfino qualche medico alle prese con il «male blu» curava ancora nel 1884 gli infettati dal colera con i salassi? Se Cesare Lombroso spingeva il direttore del pellagrosario di Mogliano Veneto, il più importante d'Italia, a tentare di curare i malati di pellagra imbottendoli di medicine all'arsenico ma continuando a dare da mangiare loro solo polenta? No. Era la legge, che avrebbe dovuto imporre alcune regole. Erano gli armatori, che avrebbero dovuto applicarle. Erano gli ispettori, che avrebbero dovuto farle rispettare.

Qualche volta, per carità, succedeva. Lo si legge in un'intervista fatta dalla «Voce Cattolica», nel febbraio 1887, a un emigrato trentino partito da Genova con il vapore *Messico*: «Quel bastimento aveva servito a condurre dall'America del carbon fossile e pensando che noi emigranti fossimo roba da poco conto, i marinai non si erano pigliata la briga di ripulirlo. Al primo entrarvi noi lo abbiamo trovato sì lurido che ci veniva schifo e già da molti di noi si alzava lamenti contro l'ingaggiatore che ci cacciava in mezzo a tanta sozzura». Protestarono, riuscirono a far dare una pulita. Ma non è che le cose, a leggere il resto dell'articolo, migliorarono molto. «E la salute come si manteneva?» chiese il cronista. E il contadino, tranquillo: «Pagato il tributo dei primi giorni, le cose procedettero bene. Durante il viaggio ne morirono 34, la maggior parte fanciulli, ma per essere sincero devo subito dichiarare che molte di quelle morti si addebitavano ad incuria delle madri, le quali non volevano portare i bambini sulla coperta a respirare un poco d'aria più sana e più fresca, specialmente nelle ore del mattino». Trentaquattro morti. Per lo più bambini.

In realtà lo sapevano bene le mamme, che l'aria buona era salubre. Ma conoscevano anche la pericolosità degli sbalzi di temperatura nelle notti oceaniche. Non solo le latrine spesso erano lontanissime dalle camerate femminili. Ma in queste camerate, dove le donne dormivano coi bambini sotto i 10 anni, faceva a volte un caldo insopportabile. Che diventava infernale quando lo stanzone era accanto alla sala macchine. E cosa fosse una sala macchine di un transatlantico a cavallo tra Ottocento e Novecento ce lo dice, nelle sue *Lettere dal mare*, quella straordinaria giornalista e sociologa e polemista che fu Amy Bernardy che, curiosa com'era, volle vedere all'opera quei macchinisti «che sanno le voci del ferro, del fuoco, del mare; che moderano e sfrenano gli ardori delle fornaci; che conoscono per nome ogni parte dell'organismo stupefacente; che ai congegni alenanti per la frizione eccessiva sanno quando versare il balsamo del puro lubricante e il refrigerio dell'acqua corrente; coloro che vivendo in continua comunione con questo oltremirabile mistero di ferro e di fiamma, d'acciaio e di luce, di forza bruta e di disciplina collettiva, intendono il palpito delle macchine come fosse un cuore umano».

Era da infarto, il caldo che faceva: «Vampate di calore vi mettono il cervello a una temperatura incontrollabile, che sprizza scintille come le fornaci sprizzano fiamme. [...] Ma al di là della porticina dissimulata nella paratia verso prua impera unico signore il fuoco in un regno di tenebre. Ivi si allineano coi loro mostruosi corpi di locomotive, caldaie e fornaci. Da questa forza bruta, oscura e roggia sorge quella forza disciplinata e metallica che di là canta e ride, cuor della nave. Ma il cuor della nave più oscuro e più pauroso e più ardente è qui. Ad intervalli le mazze di ferro tentano i ricettacoli del fuoco inestinguibile, si apre una bocca ardente, vomita scintille, riceve carbone, si richiude. Un'altra. Lame di fiamma e vampe di calore. Poi, buio. Un'altra ancora. Ancora fuoco e bragia, carbone ancora all'ansia divoratrice».

Eppure, si legge nel rapporto del medico della White Star Line compilato durante un viaggio da Napoli a New York nel maggio 1905, «la temperatura non è il solo fattore che rende nei dormitori l'atmosfera irrespirabile. Vi concorre il vapore acqueo e l'acido carbonico della respirazione, i prodotti volatili che svolgono dalla secrezione dei corpi, dagli indumenti dei bambini e degli adulti, che per tema o per pigrizia non esitano a emettere urine e feci negli angoli del locale. La puzza è tale che il personale di bordo si rifiuta spesso di entrare per lavare i pavimenti».

Anche quando i motori incandescenti non erano proprio al di là di una tramezza, i dormitori di terza classe dove le brande venivano montate a pile una sull'altra erano, salvo eccezioni, da spavento. Basti leggere alcune delle descrizioni. Teodorico Rosati: «L'emigrante si sdraia vestito e calzato sul letto, ne fa deposito di fagotti e valigie, i bambini vi lasciano orine e feci, i più vi vomitano: tutti, in una maniera o nell'altra, l'hanno ridotto dopo qualche giorno a una cuccia da cane. A viaggio compiuto, quando non lo si cambia, ciò che accade spesso, è lì come fu lasciato, con sudiciume e insetti, pronto a ricevere un nuovo partente». Edmondo De Amicis: «Il Commissario, che era sceso più volte nei dormitori, ci fece delle descrizioni da stringere il cuore e da vincer lo stomaco. Aveva visto là sotto delle masse intricate di corpi umani, gli uni sopra e a traverso agli altri, con le schiene sui petti, coi piedi contro i visi, e le sottane all'aria; viluppi di gambe, di braccia, di teste coi capelli sciolti, striscianti, rotolanti sul tavolato immondo, in un'aria ammorbata, in cui d'ogni parte suonavano pianti, guaiti, invocazioni di santi e grida di disperazione».

«Scesi nel corridoio. Dio mio! Quale tanfo! C'era da perdere il respiro» scrisse Ferruccio Macola. «Figuratevi 500 persone ammassate in uno spazio di altrettanti metri cubi d'aria, con una ventilazione insufficiente nelle condizioni normali, più insufficiente allora, perché gli *hoblots* (i finestrini) a murata del corridoio inferiore erano rasenti alla linea d'acqua, e gli altri col mare agitato non si potevano aprire. [...] Io inorridivo, mentre il sudore mi colava da tutti i pori, allargati quasi instantaneamente in quella temperatura asfissiante e corrotta [...]. Si fece il giro delle corsie. Che orrore! Ci tenevamo ben stretti alle traversine di legno, perché il suolo imbrattato un po' qua e un po' là di materie ignobili, rendeva pericoloso qualunque movimento. Non mi sono mai spiegato, come tante creature umane, potessero vivere là dentro, qualche volta 20, qualche volta 30 e più notti, respirando le esalazioni più pestifere in un'aria umida, vischiosa, corrotta dai gas acidi sviluppati dal cibo mal digerito e rigettato.»

Nel suo libro *Le navi di Lazzaro*, che riprende un'antica definizione data a quelle carrette del mare dove gli emigranti venivano pesati da armatori senza scrupoli come «tonnellate umane», Augusta Molinari cita documenti che sembrano incredibili. Come il rapporto del medico governativo su una traversata del *Città di Torino* del dicembre 1906 durante la quale non si era potuto isolare i vaiolosi e disinfettare i dormitori «a causa dell'impossibilità di trovare una sistemazione per tutte le persone imbarcate». O la relazione sul piroscafo *Massilia* che, a dispetto delle richieste del medico che voleva vaccinare tutti gli 800 passeggeri, partì nel 1911 con «400 vasi di siero e una sola siringa». Per poi dovere restituire metà del siero, al primo scalo a Palermo, «per le pressanti richieste dell'agente della compagnia medesima». Ma i controlli? La legge? Le autorità? La risposta è ancora nel libro della Molinari: «Significativo il caso, riportato nella relazione, di due piroscafi della Prince Line (*Sicilian Prince* e *Napolitan Prince*), per i quali la Commissione di visita del porto di Genova aveva chiesto nel 1902 la radiazione dal servizio e che ancora nel 1907 vengono dichiarati idonei alla navigazione da parte di un'apposita commissione di esperti della Marina Militare: "Per il *Napolitan Prince* questo ispettorato in base ai rapporti medici che già da molto tempo lamentano, come anche del *Sicilian Prince*, le tristi condizioni fatte a bordo agli emigranti, proponeva che il Commissariato prendesse l'iniziativa di radiare simili navi. Meritano di essere ricordati anche il caso del *Duca di Galliera* e *Duchessa di Genova* che, pur non rispondendo ai requisiti postulati dal Regolamento, ottennero di prolungare il loro servizio nel trasporto emigranti per molti viaggi, sempre promettendo ad ogni partenza che al ritorno sarebbero stati ritirati dal servizio di emigrazione"». Controlli all'italiana.

Va da sé che, quando scoppiava un'epidemia, faceva una strage. E infatti tutta la storia della grande emigrazione italiana è costellata di grandi lutti collettivi. Un breve elenco, largamente incompleto, venne fatto qualche anno fa da Grossi e Rosoli nel libro già citato. E c'erano il piroscafo *Cachar* che «partito per il Brasile il 28 dicembre 1888 ebbe a lamentare 34 vittime per asfissia ed alcune per fame», il *Frisia* che salpato ancora per il Brasile il 16 novembre 1889 «ebbe a contare 27 morti per asfissia a causa dell'agglomeramento delle cuccette del secondo corridoio presso la macchina ed ebbe anche 300 ammalati». Il *Parà* dove «un'epidemia di morbillo uccise 34 persone». Il *Giava* e il *Remo*, dei quali parleremo più avanti. Il *Vincenzo Florio*, che nel 1894 «ebbe 20 morti su 1321 emigranti». E l'*Andrea Doria* che nello stesso anno «ebbe a lamentare ben 159 morti su 1317 passeggeri».

Stragi dimenticate, cancellate, rimosse. Come qualcosa di cui ci si vergogna. Al punto che non solo non è mai stato scritto un libro che ricordi tutte insieme queste tragedie collettive italiane, ma che di alcune devastanti epidemie, quale quella sull'*Andrea Doria*, di cui parleremo, sanno pochissimo anche i massimi studiosi del settore. Eppure, come ci ricordano Grossi e Rosoli, sono tutte storie «dentro» la nostra storia: «Casi dolorosi che non sorprendono se si considera che, secondo Nicola Malnate, ispettore del porto di Genova, spesso il trasporto degli emigranti avveniva sulle stesse navi che erano servite alla tratta degli schiavi, con velocità di 8 miglia e meno di 2 metri d'aria per ogni emigrante».

Della odissea del *Matteo Bruzzo*, nave sfortunatissima che aveva già rischiato più volte il naufragio, esiste un rapporto del ministero dell'Interno, dal quale dipendeva allora la Sanità, vista evidentemente come una faccenda di ordine pubblico. Vi si legge che il piroscafo, con «una turba» di 1200 emigranti a bordo, quasi tutti italiani, salpò da Genova per Montevideo, il 30 ottobre 1894 quando l'epidemia di colera di quell'anno si era già manifestata anche in Liguria. «Sapevasi che le repubbliche del Plata» cioè l'Argentina e l'Uruguay «avevano dichiarato chiusi i loro porti alle provenienze da luoghi infetti, ma speravasi che il piroscafo sarebbe immesso a libera pratica dopo una quarantena in quei lazzaretti. E con questa speranza, fondata o no, ma sicuramente non bastevole ragione per giustificare la partenza, si uscì dal porto di Genova.» Una superficialità assassina.

Contati 4 morti durante la traversata, «ma senza sospetto di colera», il piroscafo entrò nella grande rada di Montevideo il giorno 28 ottobre: «Il Governo locale oppose al capitano del piroscafo la chiusura dei porti decretata e pubblicata regolarmente e gli impose di abbandonare quelle acque. Mentre continuavano le trattative per ottenere dal Governo l'ammissione del piroscafo in un lazzaretto, a bordo scoppiò la epidemia. Ai 7 novembre si ebbero 3 vittime, agli 8 altre 2, una ai 9 ed altra ai 10. In questo stato di cose il capitano segnalò alle autorità governative la manifestazione della malattia; e queste ingiunsero di levar l'ancora e di proseguire per Rio Janeiro».

La mattina del 14, ormai sconvolto dall'epidemia che imperversava, il bastimento «entrava a mezza forza nella baia di Rio Janeiro». I brasiliani non ci pensarono due volte: «Alcune cannonate partite dal forte di Santa Cruz lo obbligarono a fermarsi ed a retrocedere, in attesa di ordini. E questi furono d'abbandonare immediatamente le acque del Brasile».

Il giorno dopo il piroscafo entrava comunque in rada chiedendo di rifornirsi di provviste. «Il comandante del porto avvertì il capitano che qualunque mossa fosse fatta a bordo per isbarcare, il piroscafo sarebbe stato preso a cannonate a fior d'acqua». Il braccio di ferro andò avanti per alcuni giorni. Poi «due navi da guerra brasiliane si avvicinarono ed intimarono nuovamente la partenza. Ed il piroscafo si fece il giorno stesso sulla via del ritorno».

Fu una traversata a ritroso interminabile, massacrante e segnata da altri 19 morti. Quando finalmente «la nave di Lazzaro» arrivò a Pianosa, dove il penitenziario era stato svuotato di tutti i detenuti per consentire la quarantena, era già il 20 dicembre. Ripartirono finalmente verso Livorno, i sopravvissuti, soltanto il 27 gennaio. Tre mesi dopo aver cominciato quell'allucinante e tragico gioco dell'oca che li aveva riportati al punto di partenza.

Un punto di partenza al quale, negli stessi mesi, tornò un altro piroscafo colpito da un'epidemia ancora più spaventosa: il *Carlo R.* Dove la sigla stava per «Raggio». Era una carretta del mare vera e propria. Dopo essere stato costruito come nave merci era stato riconvertito dagli armatori, con qualche dormitorio sottocoperta per quelli che Edmondo De Amicis chiamava «bestie da soma, dispregiati iloti» diretti a «campar d'angoscia in lidi ignoti», in una nave per emigranti sulla solita, fruttifera rotta Genova-Napoli-Rio-San Paolo-Montevideo-Plata.

Come fossero queste camerate lo possiamo immaginare leggendo, nel saggio di Luis A. De Boni, *La storia che nessuno racconta*, la testimonianza di un sarto, un certo Toniazzo, che spiegava come si erano inventati un po' di posti in più sul mercantile riciclato sul quale aveva viaggiato lui: «In quella benedetta nave, eravamo più di 1500 persone in terza classe, schiacciate come sardine in scatola. [...] A Barcellona imbarcarono altri 200 passeggeri spagnoli e allora cominciai ad avere paura, perché era una cosa seria: non sapevamo più come stare; eravamo troppo ammucchiati per poter camminare; come si fa a stare in piedi, senza muoversi? [...] Si costruirono, ad esempio, più di 150 piccoli letti, o meglio, cucce per cani, e tutti gli spagnoli ed un centinaio di napoletani dormivano sul nudo pavimento».

Il *Carlo R.* partì da Genova il 29 luglio 1894, si fermò a Napoli per caricare la gran parte delle sue «tonnellate umane» e riprese il mare. Neanche il tempo di allontanarsi di 300 miglia, scrive Tomaso Gropallo in *Navi a vapore e armamenti italiani*, e già il medico Giovanni Buscaglione doveva registrare il primo morto di colera. Altri, sapendo che la città partenopea era devastata dal «male blu», avrebbero subito invertito la rotta. Ma ciò avrebbe significato la restituzione dei soldi del biglietto a quel migliaio di poveretti, uomini, donne, bambini, che si erano imbarcati. Il capitano Scipione Cremonini, convinto forse che san Gennaro gli avrebbe «fatt' 'a grazia», decise dunque di proseguire.

Era un ufficiale in carriera, che il «Secolo XIX», al ritorno della nave sotto la Lanterna, avrebbe descritto così: «Un uomo di 42 anni che ne dimostra appena una trentina: un tipo bruno, abbronzato dal sole, asciutto nella persona senza essere scarno, dall'occhio limpido e grande, e che si esprime con quella pacatezza rivelante l'occhio risoluto e fatto ad ogni sorta di burrasche». Marinaio da sempre, comandava navi da quando aveva 25 anni. E non era proprio il genere di persona che è rosa dai dubbi. Tanto meno su quella scelta di non tornare indietro.

Una decisione scellerata. Via via che passavano i giorni, il contagio si estendeva. Né risultò possibile bloccarlo, dice Gropallo, «con i pochi mezzi di bordo». E cominciò, appena superato lo stretto di Gibilterra, la macabra conta dei cadaveri che dovevano essere gettati in mare. «Il forte dei casi di colera – 20 al giorno – si verificò quando il piroscafo aveva già oltrepassato le Azzorre» si legge sul «Secolo», ben schierato con il capitano e gli armatori; «tutti a bordo erano inquieti. L'agitazione della terza classe, specie dell'elemento meridionale, era al colmo e il capitano con 16 uomini d'equipaggio, dovendo tenere in rispetto quasi un migliaio di persone, viveva ormai come in un inferno».

Con 16 marinai erano partiti, quei negrieri assassini! Sedici marinai, dal cuoco al timoniere, per un migliaio di uomini, donne, bambini! Eppure al giornale genovese tutto ciò pareva normale: «Che cosa fare? Tornare indietro? Tanta era la via ad andare al Brasile come a tornare a Napoli: e poiché il *Carlo R.* era partito con patente netta, il capitano deliberò di proseguire e di tentare lo sbarco, prima di appigliarsi ad un partito che danneggiava fortemente un cumulo d'interessi». Testuale.

«Ma al Brasile il *Carlo R.* era stato preceduto da

una fama del tutto fantastica; doveva essere addirittura un cimitero ambulante, un lazzaretto natatorio, tanto più che si pretendeva che a Napoli i morti di colera fossero 500 al giorno» ironizza il cronista.

Il rifiuto delle autorità di Rio de Janeiro, dopo il dirottamento del bastimento a Isola Grande, fu assoluto. Sbarco proibito. Peggio: ordine immediato di rientro, senza neppure un carico di carbone e di acqua. «Il comandante rispose: "Io non parto di qui se non ho una buona provvista d'acqua". Le cannoniere brasiliane, vedendo riuscire vane le loro intimidazioni, per intimorire il comandante del *Carlo R.* esplosero parecchi colpi di cannone in direzione del piroscafo, ma senza intenzione di colpire. Il comandante rispose: "Mandatemi a picco, ma senza acqua non me ne vado". E l'acqua venne data.»

Decimati dall'epidemia, disperati per il crollo delle loro illusioni, furibondi con il capitano nel quale avevano individuato il primo rappresentante di quella banda di trafficanti di uomini che li aveva trascinati in quell'inferno, i passeggeri tentarono una rivolta. Che l'efficientissimo Cremonini domò facendo mettere i capi ai ferri. Il 1° settembre, il vapore si mise infine sulla rotta del ritorno. All'arrivo all'Asinara, il 27 settembre 1894, stando alle parole dello stesso comandante nell'intervista autodifensiva col «Secolo», aveva scaricato in mare 141 persone uccise dal colera e altre 70 ammazzate da malattie varie. Per un totale di 211 morti. Quasi 4 per ogni giorno di navigazione.

Era troppo. Troppo anche per autorità marittime disposte a chiudere un occhio come quelle genovesi e napoletane su quelli che qualcuno chiamava i «piroscafi cimitero». E il *Carlo R.* cessò di caricare come bestie gli emigranti per tornare al servizio merci. L'armatore Gavotti, il capitano Cremonini e il medico di bordo Buscaglione, vennero mandati a processo. Il dibattimento durò undici udienze. Quale fu il risultato è facile da immaginare.

E AFFONDÒ ANCHE L'*UTOPIA*

Decine di naufragi, mai un processo serio

L'avevano chiamata *Utopia* pensando che una nave con un nome così avrebbe attirato tutti gli emigranti sognatori come il miele le api. Certo, i fratelli Henderson di Glasgow, essendo di professione armatori, sapevano bene che un montanaro della Carnia o un cafone delle Madonie non aveva la più pallida idea di cosa avesse raffigurato Tommaso Moro nella sua celebre opera del 1516 intitolata appunto *L'Utopia o la migliore forma di repubblica*.

In un paese come l'Italia non dovevano essere molti a sapere che laggiù, nell'isola meravigliosa immaginata a 15 miglia dalla costa dell'America meridionale, i cittadini erano per legge tutti uguali, che la schiavitù non esisteva se non per i malvagi che a essa venivano condannati, che con le pietre preziose ci giocavano i bambini e anche i lavori della campagna dovevano essere fatti a rotazione perché tutti devono essere una volta villici e una volta cittadini, proprio come in quella canzone veneta che diceva: «Andaremo in Merica / in tel bel Brasil / e qua i nostri siori / lavorà la tera col badil». Tantomeno potevano sapere che il mitico fiume Anidro portava un nome che significava «senza acqua» e la leggendaria città di Amauroto uno che voleva dire «città invisibile». E figurarsi se pote-

vano immaginare che «Utopia» stava per «non luogo».
Un paradiso, ma inesistente. Un sogno.

Il giorno che si imbarcarono a Trieste però, il 7
marzo del 1891, tutti avevano ormai saputo dal parroco, dal farmacista o dal maestro, che quel nome
scritto sulla fiancata del piroscafo, un bestione di
2731 tonnellate costruito per la Anchor Line nel 1874,
era un augurio di buona fortuna. E quest'idea della
nave fortunata si gonfiò ancor più durante la tappa a
Napoli, città che dà peso ai segni, da dove il bastimento salpò infine il 12 successivo per far rotta su
New York. Portava, sarebbe stato accertato, 3 passeggeri di prima classe, 3 clandestini che erano riusciti a
salire chissà come, 59 membri dell'equipaggio agli ordini del capitano John McKeague e 813 emigranti italiani: 661 uomini, 85 donne, 67 bambini. Ventuno
erano triestini, alcuni (sembra) slavi e tutti gli altri meridionali. Come Michele De Luca di Grottaminarda o
Giuseppe Valentino di Monteforte, Maria Concetta
Gentile di Termini o Carmine Sabile di Lioni.

Arrivarono davanti alla baia di Gibilterra, un'inse-
natura naturale a forma di ferro di cavallo dove dovevano gettare le ancore per scaricare una parte delle
merci e fare il pieno di carbone prima di entrare nel-
l'Atlantico, nel tardo pomeriggio di martedì 17 marzo.
Iniziava a fare buio. Il tempo era pessimo. Il mare era
molto agitato, pioveva a dirotto e tirava un forte vento
di burrasca da sudovest. Era insomma una situazione
a rischio. Tanto più che la rada era piena di navi che
avevano preferito passare la notte al riparo, prime fra
tutte quelle militari del Channel Squadron britannico.

Cosa successe esattamente non si sarebbe mai accertato. Secondo «La Tribuna» di Roma «le tenebre

della notte non erano ancora molto dense; si scorgevano perfettamente tutti i fanali delle navi ancorate nella baia di Gibilterra. Il tempo era bensì tempestoso e le navi all'ancora erano piuttosto numerose, ma non si può ancora comprendere come l'*Utopia* abbia potuto appressarsi tanto al punto in cui trovavansi le grandi corazzate. Secondo le voci che paiono più autorevoli l'*Utopia* che si avanzava a mezzo vapore virò per iscansare un altro piroscafo e andò a percuotere con il potente sperone dell'*Anson* che fece un enorme foro nel bel mezzo della nave». La corazzata inglese, che al comando del contrammiraglio Jones si trovava all'ancora davanti al molo di Ragged Staff, era infatti dotata, a prua, di un micidiale ed enorme punteruolo che stava immerso sotto il pelo dell'acqua.

E fu il disastro: «Il poderoso rostro di questa grande nave da battaglia, a doppia elica» si legge nello «Scientific American Supplement» del 9 maggio 1891 «squarciò in profondità lo scafo del piroscafo, che andò quindi alla deriva, in balia della corrente, finché – cinque minuti dopo l'impatto – l'acqua imbarcata iniziò a farlo affondare».

A questo punto lo stesso *Anson* e gli altri vascelli della squadra navale inglese, «così come l'incrociatore svedese *Freya* e l'*Amber*, calarono subito le scialuppe di salvataggio; si era ormai fatto buio, e le navi accesero i fari elettrici per assistere i soccorritori nel loro difficile compito. Una delle scialuppe dell'HMS *Immortality*, la pinaccia, venne spinta dalle onde contro uno scoglio e due marinai affogarono. La forza del mare era tale che le scialuppe non avevano alcuna speranza di potersi accostare al relitto e trarre in salvo quanti si trovavano a bordo; tutto quello che potevano fare era mettersi sottovento e recuperare i naufraghi a mano a mano che cadevano in acqua dai ponti del piroscafo».

Tutte le navi che stavano lì vicine, secondo «L'Illustrazione Italiana», presero a «gettare in acqua i salvagenti e altri arnesi perché i naufragati vi si aggrappassero, ma l'uragano e la pioggia torrenziale rendevano difficile, quasi impossibile, l'azione di salvamento. Il mare imperversava». «Quando la prua dell'*Utopia* iniziò ad affondare» proseguiva lo «Scientific American Supplement», «le persone a bordo del vascello si precipitarono in avanti, lottando gli uni contro gli altri nel disperato tentativo di guadagnarsi la salvezza raggiungendo il sartiame. Venti minuti più tardi, il castello di prua scomparve sotto la superficie delle acque, portando con sé tutti gli sventurati che non avevano avuto il coraggio di gettarsi fra le onde e non erano riusciti a trovare un rifugio nel sartiame. L'intensità del vento e della pioggia era tale, che tutto ciò che si riusciva a vedere era una massa confusa di esseri viventi che si agitavano in mezzo ai rottami del vascello. Quelli che erano riusciti a raggiungere il sartiame di prua vennero salvati diverse ore più tardi, quando erano ormai talmente esausti da non riuscire nemmeno a salire sulle scialuppe con le loro forze; i soccorritori dovettero arrampicarsi sulle sartie per recuperare queste povere creature.»

Sul piroscafo che affondava, in mezzo alla tempesta, col mare che mugghiava e la pioggia che picchiava a dirotto, fu il panico: «Alcuni dei marinai si precipitarono verso le imbarcazioni che erano a bordo per metterle in mare, ma poi desistettero dalla folle intrapresa riuscendo manifesto che, in quel trambusto, il forte maestrale che soffiava avrebbe mandato le lance a infrangersi contro i fianchi della nave» scrisse «La Tribuna» che, riportando il resoconto dei giornali britannici, rivelò una realtà che gli inglesi ci avrebbero rinfacciato per anni: «Appena accaduta la collisione, molti passeggeri dell'*Utopia* si gettarono disordinatamente sui salvagenti appesi nei luoghi più visibili del piroscafo: ne nacque tra la folla una lotta selvaggia; gli uomini più forti riuscirono a impadronirsene e per mezzo di questi salvagenti poterono reggersi sull'onda». Contemporaneamente, scrivevano i quotidiani anglosassoni, «centinaia di italiani si ammassavano sulla tolda, gridando e lottando pazzamente per la precedenza. Anche le sartie e le coffe della nave furono ben presto gremite di gente. Disgraziatamente la tolda, così carica di persone, sprofondò uccidendo molti e precipitandone altri nelle acque».

Un giornale di Napoli, citato il giorno dopo da «La Tribuna» che non fa menzione della testata, fotografò quello che definiva un «terribile quadretto»: «Avvennero scene selvagge. Un canotto svedese era già pieno di naufraghi, quando altri vollero salire. I primi, temendo che il canotto si naufragasse, picchiarono in testa ai nuovi arrivati». E ancora: «Una donna, mentre la nave naufragava, veniva afferrata da un ufficiale inglese che si slanciò per salvarla. Essa si svincolò ricordandosi del suo bambino rimasto sulla nave. Quando tornò con esso, il canotto inglese non poté più avvicinarsi e la madre e il figlio affondarono. La tempesta era così violenta che i corpi si sfracellavano contro gli scogli».

Per giorni e giorni, risacca dopo risacca, il mare continuò a riversare sulla riva i corpi delle vittime dell'*Utopia*. Fra tutti, scrisse «L'Illustrazione Italiana», «attirava l'attenzione e la pietà il cadavere di una donna di media età che teneva al suo fianco un bambino di circa 2 anni con le braccia in posizione tale che si vedeva come ella lo avesse portato al collo in lotta contro l'inesorabile oceano».

La reazione delle autorità e degli abitanti di Gibilterra fu generosissima. Tutti i negozi chiusero per lutto, i ristoranti fecero a gara per offrire pasti caldi, il «Gibraltar Chronicle» pubblicò un appello per la raccolta di indumenti smessi. Un'altra colletta rastrellò 300 sterline da dare ai sopravvissuti costretti a tornare a Napoli. Una compagnia d'operetta italiana che era lì di passaggio organizzò una serata di beneficenza al teatro Benatar in favore delle persone scampate al disastro, facendo il pienone.

I quotidiani locali si intenerirono riportando la testimonianza di una guardia di Finanza che aveva raccontato come un uomo dalla barba lunga, che poteva avere circa 55 anni, era riuscito ad arrivare vivo fino alla spiaggia aggrappato a un pezzo di legno. Ma poco dopo era spirato «per i colpi avuti nel trambusto del naufragio. Aveva al suo fianco una specie di tasca, entro cui furono trovati salami, fichi secchi e altri cibi commestibili». Le povere provviste di un contadino del Sud.

Il capitano McKeague fu arrestato: «Attraverso i suoi errori e la sua condotta impropria, con la negligenza dei suoi doveri nella condotta dell'*Utopia*» diceva l'accusa «aveva ucciso e condotto alla morte diverse persone i cui nomi risultavano ancora sconosciuti». Il bilancio delle vittime, compresi diversi marinai accorsi ad aiutare i naufraghi, secondo «La Tribuna», fu apocalittico: 576 annegati. L'indignazione però durò pochissimo. Nonostante i giornali avessero scritto che «i motori del piroscafo non erano in ordine» e che «la manovra era stata azzardata», il comandante dell'*Utopia* ottenne subito la libertà provvisoria. E dopo due giorni di processo (due giorni!) se la cavò con una ramanzina: per il Giurì della Marina inglese era colpevole solo di «un grave errore di valutazione». Tanto che non gli fu nemmeno tolto il brevetto. Il che fece automaticamente evaporare anche l'inchiesta penale.

Per anni e anni gli scampati cercarono di ottenere giustizia almeno dalla magistratura italiana. Joseph Agnone, un emigrato italoamericano che anni fa guadagnò una certa notorietà rintracciando il boia nazista della strage di Caiazzo Wolfgang Lehnigk-Emden, ha ricostruito l'iter di questa battaglia con l'obiettivo di scrivere un libro, *Il Titanic dei poveri*. La battaglia legale, dicono gli archivi, fu durissima. I nostri nonni, però, vennero non solo sconfitti, ma umiliati. Prima dalla sentenza della Corte navale britannica che aveva liquidato la tragedia come «accidentale». Poi dalle accanite resistenze avvocatesche dei fratelli Henderson, ben decisi a non versare un penny a chi aveva perduto tutto. Come Paolo Notare, un poveraccio di Castel di Sasso (un borgo in provincia di Caserta colpito dalla morte d'una quindicina di paesani) che nel naufragio aveva visto il mare inghiottire la moglie e le due figliolette, Marianna e Maddalena.

Il piroscafo, raccontano le cronache dell'epoca, rimase dov'era affondato solo per qualche mese. Era troppo pericoloso, di traverso all'ingresso del porto. E con un ingegnoso sistema idraulico venne infine recuperato ai primi di luglio e riportato in Scozia. Un particolare toccò allora il cuore di tutti. Al riemergere della nave, vennero trovati sottocoperta decine di poveri resti. Tra questi, quelli di una donna che stringeva ancora al petto il suo bambino. Qualcuno la chiamò la «Madonna dell'*Utopia*».

Sono stati inghiottiti a migliaia, i nostri emigranti, dai mari di tutto il mondo. Su velieri o bastimenti italiani, su velieri e bastimenti stranieri.

Erano italiani che rientravano in patria per visitare i parenti o rispettare finalmente un'antica promessa di matrimonio almeno 30 dei 1012 passeggeri che morirono il 28 maggio 1914 in uno dei più gravi naufragi della storia, quello dell'inglese *Empress of Ireland* che, partito dal porto di Quebec City diretto verso Liverpool, andò a fondo in 14 minuti nel fiume San Lorenzo, mentre navigava verso l'Atlantico, dopo essere stato speronato nella nebbia da una nave da carico norvegese, lo *Storstad*.

Era carico di italiani l'*Ortigia*, che il 24 novembre 1880, davanti alle coste argentine de la Plata, cozzò facendo manovra con il mercantile *Oncle Joseph*: 149 morti. E così il *Sudamerica*, che si inabissò nelle stesse acque nel gennaio 1888 con un carico di 80 anime. E il britannico *Lusitania*, della Elder Dempster Line, che dopo essere partito da Le Havre si schiantò per un errore del timoniere, la sera del 25 giugno 1901, contro una scogliera a 20 miglia da Capo Race, nella provincia di Terranova, dove già erano affondate almeno altre due navi, l'*Arctic* e l'*Anglo Saxon*. La «Domenica del Corriere» pubblicò una copertina disegnata da Achille Beltrame e un reportage drammatici: «I passeggeri [...] corsero terrorizzati sopracoperta cercando di calar in mare le lance. Ne seguì un parapiglia indescrivibile. Dei francesi eccitati all'estremo assaltarono armati di coltello gli ufficiali della nave i quali furono costretti a difendersi colle rivoltelle. Frattanto il mare infuriato gettava con sempre maggior violenza la nave sconquassata sulla scogliera. L'equipaggio, composto da inglesi, francesi ed anche italiani, anziché coadiuvare gli ufficiali nel procedere prima al salvataggio dei fanciulli e delle donne, aumentava la confusione. Vi furono donne battute, bambini calpestati...».

E altri italiani ancora, come il biellese Antonino Carlo da Magnano che avrebbe fatto dipingere un emozionante ex-voto oggi al santuario della Madonna di Oropa, erano a bordo del *Bourgogne*, un piroscafo francese carico di emigranti che naufragò il 4 luglio 1898 dopo una collisione con il veliero inglese *Cromartyshire* al largo della Nuova Scozia: 549 morti. E poi del *Florida*, che il 22 gennaio 1909, al largo della costa atlantica degli Usa speronò e fece colare a picco, in mezzo alla nebbia, il *Republic*, un transatlantico che era l'orgoglio della Marina americana. E ancora del *Titanic* la notte fra il 14 e il 15 aprile 1912 in cui, a 270 miglia da Capo Race, andò a sbattere contro un iceberg. Tra i 1523 morti c'era, per esempio, Abele Rigozzi, un aquilano che sognava l'America e per pagarsi il viaggio a New York, a quanto pare, si era imbarcato come cameriere. O Sebastiano Del Carlo, un giovanotto di Altopascio, in provincia di Lucca, che dopo aver fatto un po' di fortuna in America era tornato a casa per andare a nozze con Argene Genovese e proprio con la moglie, già in attesa di una bambina che non avrebbe mai conosciuto, stava tornando negli States per andare a vivere a Chicago. Rientrata dopo la tragedia al paese natio, la donna avrebbe raccontato che lui l'aveva caricata a forza su una scialuppa salutandola per l'ultima volta così: «Vai. Non ti preoccupare, ci vediamo più tardi».

La figlia del poveretto, battezzata con il nome di Salvata, perché per tutta la vita si portasse addosso il ricordo della grazia ricevuta quel giorno quando era nel grembo della madre, è entrata in buona salute nel terzo millennio raccontando in un'intervista d'essere cresciuta lì ad Altopascio «come la più ricca del paese»: l'assicurazione del *Titanic* aveva pagato a lei e alla madre rispettivamente 12 mila e 9000 lire di risarcimento che «all'epoca erano una vera fortuna». Furono davvero dei gentlemen, gli armatori della grande nave che più di ogni altra simboleggia le tragedie del mare. Perché generazioni di italiani, orfani di tanti altri naufragi, sanno che da noi è quasi sempre finita come finì con il processo per l'affondamento dell'*Utopia*. In una sconfitta. Come sconfitti furono tutti coloro che cercarono di avere giustizia dopo una delle più gravi, incredibili e controverse catastrofi nella nostra storia: l'affondamento del *Principessa Mafalda*.

Che il grande piroscafo, costruito dai cantieri di Riva Trigoso nel 1908, fosse nato sotto una cattiva stella, i più superstiziosi marinai genovesi se lo dicevano da tempo. La nave gemella, battezzata *Principessa Iolanda* in onore di un'altra delle figlie di Vittorio Emanuele III, era miseramente affondata il giorno stesso del varo, piegandosi su un lato appena entrata in acqua. Lungo 146 metri, largo quasi 17, dotato di motori che gli permettevano di superare i 18 nodi, una velocità formidabile nei primi decenni del Novecento, il giorno che partì per il suo viaggio fatale, il

Mafalda aveva già collezionato, in una ventina di anni, oltre un centinaio di traversate dal porto ligure al Brasile e all'Argentina, che raggiungeva in una quindicina di giorni. Forte di una serie di saloni e di cabine di prima classe elegantemente arredati, era anzi uno dei bastimenti più apprezzati dalla ricca borghesia carioca, platense e uruguaia per le crociere verso l'Europa.

Salpò l'11 ottobre 1927. Genova era in festa per le solenni celebrazioni del giorno dopo, anniversario della scoperta dell'America, nelle quali era previsto un ricordo di Manuel Belgrano, uno dei protagonisti dell'indipendenza sudamericana e padre della bandiera argentina, figlio di un ligure di Oneglia. Da fuori, avrebbero detto in tanti, la nave sembrava in ordine. Ma c'era qualcosa di serio che non andava, al punto che la partenza avvenne con ore e ore di ritardo. «Un guasto ai frigoriferi» avrebbe sdrammatizzato dopo la sciagura Dionigi Biancardi, direttore generale della Navigazione Generale Italiana, proprietaria del piroscafo, assicurando che «tutto era in ordine». «No, un guasto ai motori» avrebbero replicato gli accusatori.

Per otto volte i motori del *Mafalda* si fermarono nel solo tratto da Genova a Gibilterra, si legge in un articolo rievocativo del «Clarin» di Buenos Aires titolato *Ore disperate*: otto blocchi. «Avemmo più volte l'impressione che ci fosse un guasto» confermò all'International News Service un commerciante tedesco di nome Vollrath, scampato alla morte, denunciando anche una forte e misteriosa «sbandata» del vapore due giorni dopo la partenza. E altri superstiti ancora, scrisse l'Associated Press, insistettero: «Il piroscafo si fermò varie volte per guasti alle macchine». Fatto sta che, coi motori in quelle condizioni, il comandante Simone Gulì, un esperto marinaio palermitano di lungo corso che aveva già vissuto non uno ma due naufragi, con la nave *Palermo* e con la *Verona*, decise di proseguire, passare lo stretto e avventurarsi nella traversata oceanica.

Il buon Dio del mare mandò agli sventurati un ulteriore avvertimento, costringendo il *Principessa Mafalda* a fermarsi per riparazioni a Dakar e poi anche a São Vicente di Capo Verde, che i viaggiatori dell'epoca chiamavano, come vedremo, San Vincenzo. Ma anche stavolta i segnali di quanto stava per accadere, segnali nerissimi, non vennero compresi. Il viaggio dall'arcipelago al largo dell'Africa alla costa brasiliana, avrebbe ricordato mezzo secolo dopo al «Clarin» la signora Flora Forciniti, una calabrese di Corigliano che si era imbarcata con la mamma e due fratelli per raggiungere a Buenos Aires il padre e i fratelli maggiori, fu un incubo: «Eravamo in ritardo di 27 ore perché la nave era partita con molti problemi e durante tutta la traversata era rimasta pericolosamente storta, navigando a velocità molto bassa. L'inclinazione era tale che la mattina non potevamo appoggiare la tazza con il caffelatte perché si sarebbe rovesciata. I passeggeri erano tutti nervosi. Via via che ci avvicinavamo al Brasile i problemi sembravano moltiplicarsi».

Verso le 5 del pomeriggio di martedì 25 ottobre, a 80 miglia da Porto Seguro, sulle coste dello stato di Bahia, mentre i passeggeri, come scrisse il «Corriere della Sera», erano «allegrissimi sapendo che il giorno seguente sarebbero giunti a Rio», si sentì un botto. L'orchestra di bordo, che stava suonando un *black bottom*, smise di colpo. Il trombettiere posò la tromba, il violinista il violino. I passeggeri di terza classe, che stavano cenando, posarono i piatti e le posate, interrogandosi muti l'un l'altro. «Immediatamente tutti corsero sul ponte» si legge nella cronaca del «Daily Mail». «Il capitano gridò: "Calma, non vi è pericolo!". Le prime esplosioni scossero la nave.» Mentre si propagava il panico, il capitano e gli ufficiali tentavano di mantenere la calma, scrisse il «Corriere», sdrammatizzando: «È solo un piccolo guasto alle macchine che presto sarà riparato».

Quelli che erano sotto però, quelli che stavano nelle sale motori come il macchinista genovese Paolo Auteri che si sarebbe salvato per un miracolo, capirono subito la gravità del guasto: si era staccato di netto l'asse di un'elica e dalla falla «l'acqua si era lanciata all'assalto del *Mafalda* come un nemico avido di preda». Il marconista fece appena in tempo a lanciare l'allarme, i motori si spensero e con essi saltò anche la corrente elettrica, interrompendo ogni collegamento perché la vecchia nave, che in pochi istanti si era già piegata di lato, non aveva in dotazione neppure una dinamo di riserva.

Il comandante, spiega Eno Santecchia nel saggio *La principessa che non fece ritorno*, scritto per l'Associazione Italiana di Documentazione Marittima e Navale, «ordinò l'evacuazione della nave e rimase in coperta a dirigere le operazioni con il revolver in pugno urlando a pieni polmoni: "Donne e bambini prima!". Gli ufficiali e l'equipaggio, con l'uso della forza, riuscirono inizialmente a contenere il panico che si stava rapidamente diffondendo e organizzare un ordinato abbandono della nave. L'inclinazione del piroscafo si accentuò ulteriormente: decine di oggetti rotolarono sui ponti. L'opera di salvataggio divenne poi sempre più difficoltosa a causa dell'oscurità della notte e della forte inclinazione dello scafo, che impedì di ammainare correttamente tutte le lance di salvataggio disponibili. Alcune di esse, infatti, si danneggiarono urtando contro la murata prima di essere calate in acqua».

E fu l'inferno: «Quattro ufficiali, che si dirigevano in coperta con alcuni salvagenti, furono letteralmente assaliti dai passeggeri disperati che poi continuarono a lottare tra loro per il possesso degli indispensabili dispositivi di salvataggio. Le lance furono abbassate senza capi-lancia con donne e bambini. Poiché molte persone, qualcuna addirittura con la valigia, sfuggendo al controllo dell'equipaggio, si gettarono su di esse, alcune si capovolsero e molti annegarono. Colme al di là del limite, incapaci di galleggiare, diverse facevano acqua».

Quando arrivarono in soccorso le navi che erano nei dintorni, trovarono centinaia di naufraghi che tentavano di rimanere a galla attaccati a salvagenti, tavole, botti, casse... Le acque erano infestate di squali. Mentre tra i poveretti infuriava la lotta feroce e disperata per sopravvivere, un giovane marinaio di circa 20 anni, che già si era dato da fare per salvare più persone possibili, cedette il suo salvagente a un signore in là con gli anni che implorava aiuto, Giovanni Fasano, e si gettò in acqua con lui per trascinarlo fino alla scialuppa più vicina. Pagò carissima la sua generosità. Un pescecane l'attaccò, lui lanciò un urlo. Quando lo tirarono su era troppo tardi. Tutta l'Argentina, scrive Santecchia, si commosse. E volle dedicare al ragazzo una scuola nel suo paese natale e un busto davanti alla sede della Marina. Si chiamava Anacleto Bernardi, era figlio di immigrati italiani.

Il «Corriere della Sera», che stava vivendo i travagliati anni di passaggio dal giornale liberale dei fratelli Albertini al giornale ligio al fascismo (con qualche licenza) di Aldo Borelli, trattò la catastrofe obbedendo alle raccomandazioni che arrivavano dall'alto. Grande enfasi nel raccontare dei gesti eroici, dei sopravvissuti, degli interventi del governo. Minimo spazio agli aspetti più negativi, preoccupanti, controversi. Ordine: non turbare i lettori.

Certo, ciò che restava del grande giornalismo albertiniano riuscì, grazie a qualche sussulto d'orgoglio, a far passare qualcosa. E sepolte tra le righe fu possibile leggere le notizie che il *Mafalda* era all'ultima traversata perché era già stato destinato al disarmo, che durante il viaggio si erano rese necessarie varie riparazioni, che un passeggero belga di nome George Grenade aveva dichiarato all'Associated Press che il comandante e gli ufficiali erano stati disastrosi nella gestione dell'emergenza, che a bordo c'erano «canotti che in tutto poterono contenere solo 500 naufraghi» nonostante il piroscafo avesse imbarcato 977 passeggeri e 287 uomini d'equipaggio e infine che le «indiscrezioni di alcuni subalterni» avevano segnalato prima che la nave era in «cattive condizioni».

Non basta. Sia pure con un titolino microscopico e anonimo, uscì perfino la rivelazione che il comandante Gulì, di passaggio per mezza giornata a San Giorgio a Cremano dove viveva la famiglia, aveva confidato alla moglie non solo che la «sua» nave era avviata allo smantellamento, ma che non era affatto tranquillo: «Questa volta non vorrei partire». Una confessione che aveva spinto la donna ad accompagnare il marito da Napoli a Genova per poter stare ancora un po' con lui.

I titoli del giornale, però, raccontavano un'altra storia. Fin dal primo che dava la notizia della tragedia: *Il Principessa Mafalda naufragato al largo del Brasile. / Sette navi accorse all'appello – 1200 salvati – Poche decine le vittime*. Titolo di ripresa: *Solo 34 i mancanti?* Altri titoli qua e là nei giorni successivi: *La perfetta efficienza della nave. Onore navale. Gara di eroismi. Una pagina epica.*

Seguivano lunghi elenchi di sopravvissuti, tra i quali c'era un giovane destinato a fare fortuna: Ruggero Bauli, un pasticcere di Verona che, tornato in patria dopo qualche anno in Sudamerica, sarebbe diventato uno dei re del pandoro. E i morti? Solo un titolino a una colonna, in corpo piccolissimo, dopo una settimana: *314 vittime*. Un numero che forse non è neppure vero: all'archivio dell'argentino «Clarin» ne risultano 657. Più del doppio.

E finì tutto sotto pennellate di retorica: «Il capitano Gulì, rendendosi conto della tragicità del momento, mentre dal ponte di comando dava ordini precisi, ordinò che l'orchestra suonasse la *Marcia Reale*». «Il comandante della nave francese ha dichiarato che il comandante del *Mafalda* e il radiotelegrafista sono affondati con la nave al grido "Viva l'Italia!"» «Non è possibile dare un'idea adeguata dell'eroismo del comandante, degli ufficiali e dei marinai del *Mafalda*: tutti furono sublimi.»

Il massimo, però, fu il commento che, dopo la sciagura, dettò immediatamente la linea del Regime: «Delle cause del sinistro poco si sa; si parla di scogli, si parla di un'esplosione. Comunque – si può asserirlo con riverente amore per la nostra ardita e potente Marina Mercantile – la sventura non è da attribuirsi né a imperizia né a negligenza dell'equipaggio, ma a una tremenda fatalità. Per questo possiamo sopportare con fierezza il nostro dolore e volgere il pensiero ai morti, che ancora non hanno un nome, con austero raccoglimento, senza che l'amarezza di un dubbio o di un'accusa ne turbi la serenità».

LA STRAGE DEGLI INNOCENTI

Niente giochi nelle traversate dei bambini

«Gli Zaupa, che erano lì, di Torreselle, sono venuti in 9: il papà, la mamma, 4 bambini e 3 bambine. I ragazzini sono morti tutti: uno a Gibilterra, un altro al passaggio dell'Equatore, il terzo quando erano in vista del Brasile, il quarto il giorno che sono arrivati.» La lettera, spedita da Mario Gardelin in stretto *taliàn*, l'antico dialetto che ancora parlano i discendenti dei coloni veneti emigrati a fine Ottocento nello stato brasiliano del Rio Grande do Sul («I Zaupa, che i xera li, de Torreselle, i xe vegnésti in nove: el pupà, la mama, quatro tosatèi e tre toséte. I omenéti i xe morti tuti...») era indirizzata a Ulderico Bernardi, uno dei più attenti studiosi dell'emigrazione da quelle che un tempo erano chiamate Tre Venezie.

Pubblicata in *Addio patria*, è un documento struggente. Che mostra come a distanza di un secolo si sia conservato il dolore per quei lutti: «Una famiglia è arrivata che aveva 4 bambini. Stavano male. Il giorno dell'arrivo, sono andati dal dottore. Ma questi ha sbagliato la cura. Era una notte di pioggia. Con tante rane che cantavano. Presa la medicina, che era un veleno, i bambini se ne sono rimasti quieti, senza muoversi. E sono andati tutti in paradiso, a trovare l'altra Madre. La mamma, rimasta sola, sentiva

le rane e nella loro voce pensava di ascoltare i figlioletti morti...».

Una strage di bambini erano, i viaggi dei nostri
nonni fino in capo al mondo. Poteva perfino capitare,
qualche volta, che la malinconia della partenza, del-
l'addio al borgo natale, dell'ultimo bacio ai parenti
che restavano, si incrociasse con l'allegria. Come nel
caso raccontato da Emilio Franzina ne *Le canzoni del-
l'emigrazione*: «Nel giugno del 1887 le cronache dei
giornali veneti danno notizia della sfilata "in colonna" di circa 200 emigranti di San Donà di Piave
"diretti alla ferrovia per Genova" cui "facevano
punta due padri con due bambini sulle spalle, coperti
di ghirlande, ed in mezzo a loro eravi l'alfiere con una
piccola bandiera, nel cui mezzo stava scritto 'Viva
l'America!'. Seguiva poscia un gruppo di suonatori, i
quali con una marcia regolavano l'avanzare della fitta
colonna, che procedeva ordinata fra i battimani e gli
evviva dei contadini"».

I viaggi no, non erano mai festosi. E men che meno
lo erano per i più piccoli. Certo, era tutto il mondo
dell'Ottocento a non porsi nei confronti dell'infanzia
i problemi dei quali ci pare oggi obbligatorio farci carico. Lo dicono le drammatiche battaglie del giovane
Luigi Einaudi contro i vetrai francesi che sfruttavano
i bambini italiani comprati attraverso i mediatori. Lo
denuncia il rapporto di Sidney Sonnino sulla povertà
in Sicilia: «Il lavoro dei fanciulli consiste nel trasporto
sulla schiena del minerale in sacchi o ceste dalla galleria dove viene scavato dal picconiere, fino al luogo
dove all'aria aperta si fa la basterella delle casse dei diversi picconieri, prima di riempire il calcarone. [...]
Questi ragazzi, detti carusi, s'impiegano dai 7 anni in

su; il maggior numero conta dagli 8 agli 11 anni. I fanciulli lavorano sotto terra da 8 a 10 ore al giorno dovendo fare un determinato numero di viaggi, ossia trasportare un dato numero di carichi dalla galleria di escavazione fino alla basterella, che viene formata all'aria aperta. I ragazzi impiegati all'aria aperta lavorano da 11 a 12 ore. Il carico varia secondo l'età e la forza del ragazzo, ma è sempre molto superiore a quanto possa portare una creatura di tenera età, senza grave danno alla salute, e senza pericolo di storpiarsi. I più piccoli portano sulle spalle, incredibile a dirsi, un peso da 25 a 30 chili; e quelli dai 16 ai 18 anni fino a 70 e 80 chili...». Lo testimonia infine il fatto che dopo l'Unità ben tre leggi sulla tutela dei bambini vennero bloccate in Parlamento dalla durissima opposizione della lobby degli imprenditori la quale, con Alessandro Rossi, uno dei padri del tessile italiano, arrivò a sostenere in Senato che le nuove norme esponevano l'industria italiana alla «concorrenza internazionale». Col risultato che le prime regole contro lo sfruttamento del lavoro minorile arrivarono solo l'11 febbraio 1886 ed erano così ridicole da fissare un'età minima di 9 anni e un orario massimo di 8 ore giornaliere per i fanciulli sotto i 12 anni.

Non era solo una questione di cinismo imprenditoriale: era una cultura sorda fino all'inizio del Novecento ai sogni e alle lacrime dei bambini in tutti i settori della società. Spiega Fulco Pratesi nella *Storia della natura in Italia*: «Delle 67 vittime di un comportamento antropofago del lupo riferito ad alcune aree della Padania dal 1801 al 1825, 58 erano "fanciulli" o "giovinetti", per il fatto che alla custodia delle greggi erano adibiti i più piccoli della famiglia rurale». Bene, non solo i genitori continuarono a mandare i piccoli a rischiare la pelle, spiega lo scrittore ambientalista, ma tra i consigli che si potevano leggere in una vecchia «Relazione ufficiale sui metodi per attirare il lupo» c'era il seguente: «Coperta che sarà la rete in modo da non riconoscersi lo zimbello, si metterà sul terrapieno posto in mezzo un fanciullo di tenera età e, quando la stagione lo permetta, anche interamente ignudo o coperto di tela color carne, al fine di incitare maggiormente l'appetito dell'animale. È facile avvedersi che i contadini rifiuteranno di esporre i loro figli, quantunque, come s'è detto, non vi sia l'ombra del pericolo. Incontrandosi, poi, delle difficoltà per avere il fanciullo, lo si potrà facilmente trovare tra quelli che corrono le strade e vivono industriandosi, piccoli ladroncelli eccetera, tra i quali pochi rifiuteranno l'offerta».

C'è dunque da stupirsi se questa sordità verso il mondo dell'infanzia si travasò pari pari nel grande business dell'esportazione di emigranti? Perfino Teodorico Rosati, autore di un'opera come *L'assistenza sanitaria degli emigranti e dei marinai*, ricca di indignate annotazioni indizio di una indubbia *pietas* cristiana, non dedica nel saggio *Il servizio igienico-sanitario* del 1912 alcuna attenzione al tema dei più piccoli. Eppure i bambini ci sono: nelle tabelle della mortalità registrate nei viaggi compiuti nel 1910 dai vari piroscafi per il Sudamerica, su un totale di 40 morti, 19 avevano meno di 10 anni. Quasi la metà, pur essendo i bambini neppure un settimo dei passeggeri. Per capirci: degli uomini imbarcati quell'anno su quella tratta ne morirono uno ogni 4589, delle donne una su 3256, dei bambini uno ogni 736. Un tasso di mortalità rispettivamente sei e quattro volte più alto.

E dire che quel 1910 era stato un anno relativamente buono. In passato era andata peggio. Spiega ne *Le navi di Lazzaro* Augusta Molinari, per esempio, che «nella relazione sanitaria annuale sugli emigranti curati nelle infermerie di bordo nel 1907, Antonio Montano, ispettore viaggiante, rileva come nei viaggi di andata per il Sudamerica su un totale di 47 morti, 24 sono bambini da 0 a 10 anni, 19 dei quali deceduti per morbillo, mentre su 72 passeggeri morti nei viaggi di ritorno, i bambini sono 32». Di cui 23 uccisi dal morbillo.

Il rapporto del medico di bordo del *Sudamerica*, appartenente alla Anchor Line, continua la Molinari, denunciava: «Il maggior numero di decessi è sempre dato da bambini e più da quelli di età inferiore a 5 anni». Sono loro, accusava, le prime «vittime che cadono per via nel fenomeno migratorio» per «l'impotenza di resistere ai disagi cui i teneri organi sono sottoposti. L'aumento dei morti nei viaggi di andata fu determinato da una maggior frequenza nei bambini dell'infermità dell'apparato respiratorio, essendovi 30 decessi per bronchite e polmonite. Delle forme morbose furono con frequenza mortali tra i bambini anche l'enterite acuta, 17 decessi, e la meningite, 10 decessi».

Basandosi su un numero non precisato di relazioni sanitarie di viaggi transoceanici avvenuti nel primo semestre del 1896, il medico Giuseppe Druetti aveva ricavato qualche anno prima, insiste la studiosa ligure, tabelle che «indicano livelli di morbosità e di mortalità altissima tra i bambini e i neonati: su di un totale di 480 ammalati, 135 sono bambini sotto i 5 anni; su di un totale di 137 decessi registrati nel corso dei viaggi transoceanici presi in esame, 90 sono quelli di bambini». Due morti su tre. Pur essendo i piccoli una esigua minoranza dei passeggeri.

Come viaggiassero lo dicono non solo le relazioni mediche (che oltre alla miriade di infezioni segnalavano quotidianamente bambini che cadevano dalle scalette, bambini che sbattevano la testa contro le porte, bambini colpiti dalla caduta di oggetti dai ponti superiori o bambini piombati a terra mentre dormivano dopo essere stati piazzati al quarto livello dei letti a castello e cioè a 2 metri e mezzo di altezza) ma decine e decine di foto. Immagini straordinarie e toccanti. Dove, nel carnaio di corpi «ammonticchiati là come giumenti / sulla gelida prua mossa dai venti», per usare le parole di Edmondo De Amicis, i figlioletti dei nostri bisnonni, infagottati in vestitini passati di fratello in fratello, non giocano mai.

Dormivano insieme con le mamme, in camerate che spesso erano le più umide, le più soffocanti, le più rumorose, a ridosso della sala macchine. Non avevano alcuno spazio loro. Non avevano diritto neanche a una dieta loro: Teodorico Rosati compila perfino dei menu decisi dal ministero per gli emigranti ma nella burocratica e pignolina elencazione dei piatti («Lunedì. Primo pasto: minestrone di riso alla lombarda, stufato di carne con patate. Secondo pasto: pasta in brodo, carne lessa con sottaceti») non c'è un cenno ai bambini.

La traversata, per loro, doveva essere un tormento. Anche quando andava tutto bene. Ce lo dice, per esempio, la cronaca del viaggio di Marco, il protagonista deamicisiano del racconto *Dagli Appennini alle Ande*. La madre, andata in Argentina a fare la cameriera, non dava più notizie e visto che il padre lavorava e il fratello maggiore «cominciava appunto allora a guadagnar qualche cosa ed era necessario alla famiglia», chi parte? Lui, a 13 anni: «Quando vide sparire all'orizzonte la sua bella Genova, e si trovò in alto mare, su quel grande piroscafo affollato di contadini emigranti, solo, non conosciuto da alcuno, con quella piccola sacca che racchiudeva tutta la sua fortuna, un improvviso scoraggiamento lo assalì. Per due giorni stette accucciato come un cane a prua, non mangiando quasi, oppresso da un gran bisogno di piangere. [...] Passato lo stretto di Gibilterra, alla prima vista dell'Oceano Atlantico, riprese un poco d'animo e di speranza. Ma fu un breve sollievo. Quell'immenso mare sempre eguale, il calore crescente, la tristezza di tutta quella povera gente che lo circondava, il sentimento della propria solitudine tornarono a buttarlo giù. I giorni, che si succedevano vuoti e monotoni, gli si confondevano nella memoria, come accade ai malati. Gli parve d'esser in mare da un anno. [...] Ebbe delle giornate di cattivo tempo, durante le quali restò chiuso continuamente nel dormitorio, dove tutto ballava e rovinava, in mezzo a un coro spaventevole di lamenti e d'imprecazioni; e credette che fosse giunta la sua ultima ora. Ebbe altre giornate di mare quieto e giallastro, di caldura insopportabile, di noia infinita; ore interminabili e sinistre, durante le quali i passeggeri spossati, distesi immobili sulle tavole, parevan tutti morti. E il viaggio non finiva mai: mare e cielo, cielo e mare...».

Furono migliaia, i bambini che solcarono l'oceano senza il padre e la madre. Meglio: con un padre o una madre finti. O da clandestini. Ce lo dicono i ritagli ingialliti del «New York Times» del 1873 e del «Phila-

delphia Times» del 1885 che, stando a un rapporto
del diplomatico Raniero Paulucci de Calboli, denun-
ciavano la presenza negli Stati Uniti di «80 mila fanciulli italiani d'ambo i sessi appartenenti a quella ca-
tegoria di girovaghi da cui escono i delinquenti e le
prostitute». Ottantamila: in larga parte strappati alle
famiglie e introdotti in America con mille sotterfugi
da chi li aveva comperati.

Il «padronismo», spiega Robert F. Harney nel saggio
Dalla frontiera alle Little Italies, «attraversò fasi diverse
nell'Ottocento, ognuna delle quali era caratterizzata da
problemi semantici, oltre che storici e morali. I primi
padroni erano quei tradizionali commedianti di strada
e imbroglioni italiani che, girovagando per l'Europa oc-
cidentale e il Nordamerica, avevano dei ragazzetti
come apprendisti, accattoni ed aiutanti. La parola "padrone", usata per definire questi uomini, indicava una
via di mezzo tra "maestro" e "protettore". Dietro alla
parola stava un sistema di reclutamento e schiavizza-
zione dei bambini in soprannumero dell'Italia rurale».
Tutta l'Italia rurale: dalla Calabria al Piemonte, dalla
Toscana al Veneto, come ricorda De Amicis nella storia
del *Piccolo patriota padovano*.

Qual era l'ultima tappa del viaggio? «Quegli infelici
fanciulli sono portati nei centri principali di Londra e
di Nuova York, dove giunti vengono letteralmente ac-
catastati gli uni sopra gli altri negli orribili covi dei lu-
ridissimi quartieri di Leather Lane, di Clarkenwell e di
Hundred Street» perché imparino il nuovo mestiere:
«Far pubblica mostra dei loro cenci e di qualche animale al par di loro affamato, o suonare un organo scor-
dato e strillante. Se l'infelice creatura abbandonata
così nelle strade di quelle popolose città, non porta a

casa ogni sera il prezzo di ciò che lo snaturato inizia-
tore di quella società industriale chiama i suoi frutti,
non solamente quegli infelici vanno a letto a digiuno,
ma qualche volta sono battuti, quando non vengono
gettati sulla via, dove poi, maceri dalla pioggia e inti-
rizziti dal freddo, vengono arrestati come vagabondi».

Maria Giuseppina Cioli, nel suo saggio contenuto ne
*La via delle Americhe. L'emigrazione ligure tra evento e
racconto*, ricostruisce vicende spaventose: «Nel 1863,
dal Regio Console di San Francisco era giunta per
esempio la segnalazione del pietoso caso di Domenica
Figone, ragazzina di 14 anni, di Varese Ligure [...] ce-
duta dai genitori a un arruolatore, un certo Deluchi
Francesco, anch'egli di Varese, perché facesse il "giro
d'America", dividendo i guadagni: [...] "pare che appena sbarcati ambedue si recassero per le strade accattando di porta in porta, finché quindici giorni dopo, la
polizia li minacciò di arresto se non desistevano dall'intrapreso mestiere. Fu a questo punto che il Deluchi
venne in consolato, insistendo perché io provvedessi
alla Domenica Figone, soggiungendo già troppo aver
egli fatto accompagnandola fin qui, ed essere obbligato
ad abbandonarla dacché il fratello di lei, lavoratore 'alle
mine', non rispondeva alle lettere direttegli"».

Dubitando delle parole dell'uomo, continua il console, volle lui stesso controllare: «Trovai che la Domenica Figone era una povera ragazza di anni 14, muti-
lata di ambo le braccia ed ambo le gambe, che il padre
di lei, Antonio Figone, avea consegnato al Deluchi
perché facendo il giro d'America accattando, divi-
desse poi con lui il provente delle elemosine. Il fratello della Figone scrisse di poi alla sorella, che andò
a raggiungerlo "alle mine", e poiché il Deluchi mi

aveva pertinacemente negato l'esistenza di un contratto fra lui e il padre dell'infelice creatura così io mi feci restituire da lui dollari 130, che in 15 giorni egli aveva raccolto, e che io spedii tosto al fratello della Figone, esortando il Deluchi ad un lavoro più onesto e più confacente alla robustissima sua costituzione».

Jacob Riis e Lewis Hine li fotografarono, quei bimbi italiani che vivevano nelle strade di New York. Sono foto formidabili, che fermano il respiro. E fanno tornare alla mente un feuilleton a tinte accese, *La tratta dei fanciulli*, scritto nel 1868 dal biografo di Garibaldi, Giuseppe Guerzoni, nel tentativo di toccare i cuori di un'Italia non proprio indignata dall'infame commercio. Storia romanzata, ma strettamente legata alla più cruda realtà, compresa tutta una serie di complicità: «Nel porto una goletta con bandiera francese allestiva per la partenza. [...] Il nostromo aperse un libraccio foderato di catrame ed olio, e vi scrisse sopra il nome, il cognome e la provenienza dei due ragazzi: poi cavò da un armadio due pezzi di cartone, li infilò in una funicella, e fattone una specie di collare li passò nel collo dei bimbi con questa avvertenza: "Codesto è il vostro numero: tutte le volte che vorrete mangiare presenterete il cartone: chi non l'avrà non mangerà". Carluccio aveva il numero 47 e Stefanella il 48. [...]

«Agili come ogni figlio di montagna, si calarono pei nodi nel fondo della nave, e vi trovarono una numerosa compagnia. Erano altri 46 fanciulli di ambo i sessi, ma quasi tutti nella loro età. Dividevano la stiva coi barili d'olio e l'altra paccottiglia, colla sola differenza che la merce inanimata aveva il migliore posto, ed essi il peggiore. [...] Scorsa un'altra mezz'ora il *Volpe*, era il nome della goletta, salpò con un vento fresco di mezzogiorno a vele e fiocchi spiegati colla prua su nordovest nella direzione di Marsiglia. Il sindaco, il cancelliere del comune, due canonici della cattedrale, il pretore ed un'altra serqua di persone che dall'abito nero sembravano signori, o come là si dice, galantuomini, venivano a dare il buon viaggio al capitano Gaubelet, che ritto sul suo cassero comandando la manovra, rispondeva alle scappellate con dei cenni di mano che Cristoforo Colombo non avrebbe certo saputo trovare quando partiva dal porto di Palos in cerca dell'America».

DAL NOSTRO INVIATO SUL *REMO*

Un cronista per caso sul vapore del colera

«Durante l'intera giornata i morti furono parecchi, il mare agitato, il vento impetuoso e alle 10 pomeridiane piové a catinelle.» Era il 28 settembre 1893, il viaggio sulla rotta del ritorno aveva ormai portato lo «sventuratissimo» piroscafo *Remo* in vista delle Canarie e il povero Cesare Malavasi scriveva dell'epidemia assassina come raccontava del tempo, delle maree, delle meraviglie quotidiane: «Venne il mattino ed alla sinistra del nostro piroscafo si videro stuoli di delfini che a migliaia ad un tempo guizzavano fuori dalle acque, e tuffatisi, ricomparivano accompagnando così per alcuni minuti il bastimento».

Ne aveva contati troppi, di cadaveri, in quel suo diario che sarebbe stato pubblicato con il titolo *L'odissea del piroscafo Remo, ovvero il disastroso viaggio di 1500 emigranti respinti dal Brasile*. Un titolo lunghissimo per un viaggio lunghissimo segnato da una catena di lutti lunghissima. Ne aveva contati tanti, vedendo via via spegnersi bambini e donne e vecchi e giovanotti che sprizzavano salute come quel piemontese di nome Tonino pieno di «agilità e vigoria» con il quale soltanto il giorno prima aveva fatto gli esercizi ginnici sul ponte, che a un certo punto cominciò a scrivere cose così: «Siamo al giorno 4 ottobre, sonvi morti e ammalati; ma io per non annoiare il lettore farò cenno di un solo caso».

Non era una gran penna, Cesare Malavasi, un emiliano partito per il Brasile da Disvetro di Cavezzo, Modena. Certo, qualche ingenua pretesa letteraria l'aveva. Come accadeva spesso di quei tempi, quando nelle campagne italiane c'era sempre il genio popolano capace di improvvisare rime funamboliche e il recitatore del «Dante a mente» che aveva mandato a memoria canti su canti della *Divina Commedia*, il nostro non perdeva occasione per sfornare una terzina dell'Alighieri: «Ora incomincian le dolenti note / A farmisi sentire; or son venuto / Là dove molto pianto mi percote». Qua e là infilava una citazione latina: «Perché al dire del filosofo Seneca "in otio inconcusso iacere non est tranquillitas, malacia est"». E non mancava di tentare qualche passaggio immaginifico: «Volli più volte rivolgere lo sguardo al Vesuvio il quale, sebbene non fosse in eruzione, nullameno scintillava e fiammeggiava». Una gran penna non era, ma il suo reportage da dentro una «nave di Lazzaro», al di là della punteggiatura e degli errori che vanno presi e riportati come sono, è un eccezionale documento giornalistico. Nel quale Malavasi impegnò tutto se stesso, come si legge nella prefazione al libretto edito forse a sue spese da una tipografia di Mirandola l'anno dopo l'odissea, «sì perché gli uni apprendano che tante rotte dell'emigrazione è una tratta di bianchi; sì perché gli altri ne ritraggano ammonimento, allorché, sorrisi dalla speranza di un lucro onorato, daranno l'addio alla dolce patria».

Era l'estate del 1893. E già il primo impatto, laggiù nel porto di Genova, colpì il nostro cronista come una frustata. In un grande salone, ammassati come «in una Babele», c'erano 900 anime in pena: «La maggior parte degli emigranti stava seduta e sdraiata sul pavimento, alcuni si cibavano, altri dormivano. Vidi donne le quali stanche per le sofferenze ed insonnie delle passate notti, erano assopite in una specie di letargico sonno; e piccoli figli che, a loro insaputa, succhiavano il latte dalle loro mammelle. Si udivano pianti, grida, lamenti, ed imprecazioni in mille guise, causate da motivi diversi».

Salparono alle tre e mezzo del pomeriggio del 15 agosto. Convinti tutti, con l'imbroglio, che la grande nave avrebbe fatto rotta direttamente verso Gibilterra: «Ma quale non fu la meraviglia, lo stupore e il malcontento quando si ebbe la certezza che si sarebbe andati a Napoli per caricare quasi altrettanti emigranti!». Settecento, ne imbarcarono. Arrivati dalle Puglie e dalla Sicilia, dagli Abruzzi e dalla Campania. E caricarono tra di loro, quasi certamente, anche un poveretto che stava incubando il mostro che avrebbe decimato tanta gente: il colera.

È un presentimento comune, a bordo. Venato da una punta di diffidenza: «Dei primi Novecento, niuno sa dissimulare l'interno affanno che prova a trovarsi a contatto coi meridionali, e due ne sono le principali cause, primieramente per essere stipati, in secondo luogo sapendoli provenire da regioni infette. E qui corrono svariati commenti; da molti si afferma che, se a Genova avessero saputo di doversi frammischiare coi meridionali, avrebbero ricusato d'imbarcarsi».

Una punta di razzismo? Può darsi. Ma certo i fatti si incaricheranno di dar ragione ai passeggeri furenti almeno su tre punti: c'è troppa gente, c'è qualcuno di infetto a bordo, c'è troppo poco cibo per tutti. Come del resto aveva indovinato l'autore di un rabbioso cartello anonimo affisso alla poppa sulla rotta per la città vesuviana: «Emigranti non vuol dire né venduti né maiali. Se usurpar ci vogliono più di metà razione, almeno quel poco che ci danno sia pulito e meglio confezionato».

Per una settimana va tutto bene. Al punto che il nostro inviato a bordo trova l'ispirazione per citare Virgilio, Lucrezio e l'«amoroso Petrarca»: «Il dì nostro vola / a gente che di là forse l'aspetta». Non gli fanno perdere l'ispirazione neppure il mare che verso Las Palmas «è leggermente turbato» né le prime ondate collettive di mal di mare o i primi litigi tra le teste calde o l'arrivo dall'Africa di una nuvola di locuste o infine il menu che di giorno in giorno peggiora: «Alle ore 7 fuvvi la distribuzione della solita acqua calda (caffè); al rancio delle ore 11 la distribuzione di piccoli maccheroni impropriamente chiamati, al brodo; e per pietanza pochissima carne tagliata in minutissimi pezzi (ostie). L'altro rancio consisté in poco riso, lunghissimo e buono a nulla, e carne salata bollita, con contorno di lenticchie. In altre volte eranvi delle patate, ceci, tonno all'insalata, bacalà in umido, ed altre porcherie» che, a parte il «cattivo sapore, erano anche di gran pregiudizio alla salute di tutti; producendo alla massa dei passeggeri diarree, dissenterie, con dolori tali da far raccapricciare. Io più volte consigliai i colleghi passeggeri di astenersi da quei cibi, essendo un tale sistema da me stato adottato con esito molto giovevole, giacché diarree e dissenterie furono sempre lungi da me: ma mi fu più volte risposto, da quegli infelici, che se non avessero adottati quei viveri non avrebbero saputo di che sfamare sé e i figli loro».

Ma tutto questo, in qualche modo, era nel conto. Tanto che gli emigranti, nonostante fossero furenti per il rancio pessimo e scarsissimo e più ancora per la libertà che si prendevano alcuni ufficiali di schiaffeggiare, bastonare e addirittura mettere ai ferri incatenandolo all'ancora chi più era irrequieto, rinunciarono anche a una protesta collettiva: «Sonvi ancora tre o quattro giorni e poi metteremo piede nella terra da noi cotanto desiderata, e de' sogni dorati; non conviene quindi far valere le nostre ragioni avvegnaché i nostri giusti reclami dai Superiori potrebbero essere giudicati provocazioni ed in conseguenza essere costretti di subire la sorte toccata ai quattro toscani» che per essersi lagnati erano stati messi in gattabuia.

L'America! L'America! «È il giorno 4 settembre, il cielo è sereno, il mare calmo e sul volto d'ognuno si legge un'ilarità indescrivibile. Si parla solo dell'America, si pretende precisare il giorno e persino l'ora del desiderato arrivo. Si premeditano le misure da prendersi allo sbarco di Santos; alla partenza immediata per San Paolo, pagando il viaggio del proprio anziché approfittare del viaggio gratuito concesso all'emigrante; questo per la semplice ragione di potere abbandonare in breve la malarica Santos, essere i primi a rivedere amici e mettere piede nella terra cotanto desiderata. Persino i bambini si intrattenevano a parlare tra loro su tali argomenti.»

Ma non era nella malarica Santos, il pericolo in agguato: era lì, nei cameroni dove erano stipate 1500 persone spossate dal viaggio, dalla fame, dal mal di mare. Ed era lì, proprio sull'uscio del sogno, ormai in vista di Rio de Janeiro: «Alle ore 2 antimeridiane del giorno 6 settembre, nella stiva N. 2, in braccio al proprio genitore, moriva una fanciulla dell'età di 7 anni, la quale venne tosto buttata a mare. Alle ore 9 cessava di vivere una bambina di mesi 11; questa era stata ricoverata nell'ospedale ed appena spirata fu buttata a mare, presente il medico e passeggeri.

«Piove dirottamente, il freddo è gagliardo, è un disagio generale, specie per donne e bambini». Era solo l'inizio.

«Nell'imbrunire venne chiamato il medico per far visita ad un catanzarese gravemente ammalato nella prima stiva, piano inferiore. Venuto il medico, dopo accurata visita, disse trattarsi di indigestione d'acqua. Sono convintissimo che quel seguace di Esculapio avesse ben compreso trattarsi di colera quasi fulminante, ma ebbe ben d'onde, se non volle mettere apprensione a bordo! All'ammalato ordinò fosse apprestato cognac, marsala e brodo e prima delle 8 pomeridiane venne trasportato all'ospedale. Poco dopo le ore 5 antimeridiane del giorno 7 settembre, a poca distanza, vedevasi il faro di Capo Frio.»

Il catanzarese morì di lì a poco: «Il figlio diciottenne, pur esso a bordo del *Remo*, se ne stava sulla porta d'ingresso all'ospedale piangendo dirottamente la perdita del padre». Quando arrivarono a Isola Grande, erano già stati segnalati altri contagiati ancora. La mattina dopo, all'arrivo a bordo dei medici ufficiali della commissione sanitaria, sul pennone sventolava la bandiera gialla. L'ordine dei medici brasiliani fu perentorio: la nave doveva allontanarsi di 20 miglia per sversare in mare aperto il cadavere del calabrese, che era stato riposto sotto un telone in una scialuppa. Al ritorno, il *Remo* si trovò davanti una corazzata, la *Brasiliana*. Era lì di guardia, in attesa che fosse emanata la sentenza:

«Che si avesse a far ritorno in Italia era opinione generale compreso il Comandante [...] Ah! Quanto era doloroso e straziante lo stato di tutti! Sul volto di ognuno si vedeva la mestizia e lo scoraggiamento, e si pronosticava già che in buon numero avremmo dovuto perire, causa l'infezione, se forzatamente avessimo dovuto rimpatriare.

«Vennero le ore 7 e un quarto, giunse cotanto desierato vaporino, portante a prua due fanali, il destro verde ed il sinistro rosso. Il Capo della Commissione lesse ad alta voce la risposta del telegramma, nel quale era detto che il Governo Brasiliano ci respingeva; che nel lunedì sarebbero da Rio giunte le provviste dimandate e che poscia avremmo dovuto salpare per l'Italia. La notizia fu accolta con grande stupore e sdegno e il genio di Dante in quella sua ammirabile terzina ci offrirebbe le tinte più vive ed esatte del quadro: "Lingue diverse, orribili favelle, / Parole di dolore, accenti d'ira, / voci alte e fioche e suon di man con elle".

«Durante la notte del 9 al 10 settembre un calabrese che trovavasi in coperta, preso da congestione cerebrale, precipitava dalla sala che mette nella prima stiva. Rizzatosi per tre o quattro volte ben altrettante ricadeva, dando di cozzo così forte nel pavimento di ferro, da sembrare impossibile che non si sfracellasse il cranio. [...] Durante la notte avveniva anche il decesso del figlio di Luppi Primo di San Prospero».

La lunga sosta lì, davanti alla costa sognata da anni, a due bracciate da quel Brasile che aveva animato sere e sere di chiacchiere e di sogni nei filò nelle stalle, a un soffio da quell'America per la quale tanti si erano venduti la casa e le vacche e le pecore, fu un tormento. E fu, tra navi che arrivavano a portare acqua e altre che portavano viveri e altre che portavano medicinali, interminabile. Un centinaio di emigranti, che non ne potevano più, implorarono il comandante di far cessare quell'agonia. Il comandante allargò le braccia. E intanto continuavano a morire vecchi e bambini, uomini forti come tori e donne dal fisico fragile e minato.

A bordo, cresceva la disperazione, il senso d'impotenza, la rabbia contro gli uomini e contro Iddio: «Vidi uomini e donne intenti nella lettura e nella meditazione di cose sacre; ne vidi altri che si occuparono di letture profane ed anche oscene; donne che durante quasi tutta la giornata recitavano il rosario, ed altre che inveivano contro i figli e contro i mariti scagliando contro loro le più turpi villanie; mariti che per sventura o per dissesti maledicevano ai figli ed alle mogli o che vomitavano le più attroci bestemmie. Udii in fine la vedova del piemontese [...] far articolare orazioni funebri ai due suoi teneri figli, a pro del defunto genitore».

La mattina del 13 settembre sfilò accanto al *Remo* un altro lazzaretto del mare, l'*Andrea Doria*, «il quale recavasi a dar sepoltura ai cadaveri che aveva a bordo». Qualche ora e «ritornò il vaporino *Nereide* con 2 uffiziali a bordo dai quali si seppe che i morti nel piroscafo *Andrea Doria* erano 92». Una strage. Anche lì di emigranti.

La stessa sera, finalmente, il *Remo* levò le ancore per tornare in Italia. Sapevano già tutti che non sarebbe stato solo il mesto viaggio di centinaia di vinti ma qualcosa di più: un incubo. E lo fu davvero. Pure gli animali, portati a bordo perché ci fosse sempre della carne fresca, anche se in realtà veniva distribuita con una tirchieria indecente, impazzirono: «Dopo il rancio un bue, infranta la fune che lo teneva legato nella stalla, comparve in coperta e sebbene fosse quasi tosto ricondotto al suo posto, una donna si impaurì così fortemente che le parole non valsero a pacificare il di lei animo agitato. A qualcuno fu fatta concessione di aprire i propri bauli ed estrarne oggetti di vestiario per la ragione che gli abiti indossati dalla maggioranza non erano solo sudici ma anche infestati da immondi insetti». E qui Malavasi sospirò: «Decessi non ne mancarono, ma non potrei precisarne il numero».

Fu durissimo, per quel piccolo grande cronista, tener nota di tanto dolore che giorno dopo giorno gli dilagava intorno: «Siamo nelle ore antimeridiane del giorno 15 settembre e muore di colera una vezzosa bambina di anni 7; nella terza stiva ne moriva un'altra, ed una donna gravemente ammalata. A un'ora pomeridiana cessava di vivere la Mazza Cleonice: nell'ospedale eranvi ammalati e morti».

Ora al colera si erano «associati il tifo e la difterite ed ognuno con vero eroismo sta aspettando il suo turno per morire, giacché ritiensi moralmente impossibile che persone mal trattate, esauste di finanze, addolorate per la perdita, chi del padre, chi del marito, chi della moglie, chi del fratello, chi dell'amico, possano aver tanta forza da sopravvivere a tante calamità. Le crudeli peripezie sono incominciate e niuno sa quando potranno finire».

Qui e là, in mezzo a quelle morti così ripetute e ossessive da diventare anonime, il nostro inviato isolava una storia. Come quella di un certo Pivetti, che prima ebbe dal medico di bordo, il quale doveva essere un mediocre mestierante, il permesso di portare il figlioletto neonato alla moglie ricoverata nel minuscolo ospedale di bordo, poi si sentì ordinare di riportarlo immediatamente via perché il piccino rischiava d'essere contagiato proprio dalla madre che di lì a poco sarebbe morta: «Durante la notte il bambino pianse dirottamente, e l'inconsolabile genitore lo nutrì di pane trito, inzuppato nel brodo».

E navigò così, per giorni e giorni, il *Remo*. Senza che neppure Cesare Malavasi riuscisse a capire, nel caos, quali erano le dimensioni della tragedia: «Il preciso numero dei morti però ben rare volte si conosce perché di notte tempo, quando tutti sono nelle loro cuccette, vengono buttati a mare». Il dolore, però, era sotto gli occhi di tutti: «In quel giorno, sopraccoperta cessava di vivere una fanciulla di anni 10 ed altra di anni 11 giudicata dal medico puramente indisposta. Appena quest'ultima fu spirata fui spettatore di una scena commoventissima. Il padre, la madre e tre piccole sorelle, uniti in un sol gruppo, piangevano dirottamente, e si disperavano in guisa che, per lunga pezza, non valsero i consigli e le ammonizioni, si' dei superiori che degli amici, a placarli. Se tu, o lettore, avessi veduta immersa nel lutto quella cara e gentil famigliuola che, dai lineamenti, dalla foggia del vestire e dall'educazione dicevano chiaramente essere di non bassi natali, avresti invano cercato di reprimere le lagrime». Finché, passando accanto a San Vincenzo, dove le navi si fermavano a volte per far carbone, l'infermiere di bordo vuotò il sacco: i morti «a tutt'oggi erano 76».

Eppure lo spettro della morte, l'incubo dal quale ciascuno era roso e cioè di essere il prossimo, il dolore per quei sinistri «ploff» che fermavano il respiro quando un nuovo corpo veniva scaricato in mare, non riuscirono mai ad averla vinta sulla voglia spasmodica di vivere ogni singolo momento. Nacquero amori, come quello di una ragazza ferrarese di nome Adele che, viaggiando verso il Brasile con il promesso sposo, un omone alto alto («avrebbe potuto chiamarsi "Torre degli Asinelli"») di quasi vent'anni più vecchio, s'innamorò di un torinese più giovane conosciuto a bordo. Trovò sfogo il bisogno disperato di rompere l'assedio dell'angoscia: «Sebbene fossimo in momenti in cui il colera infieriva, i buontemponi però non mancavano. Lungo la notte si danzò nei dormitori dei marinai, ed una donna ebbra per le eccessive bibite di vino e rum dové pernottare nella cuccetta di un marinaio». Non mancò qualche sorriso: «Questa mattina un veneto il quale durante la notte era stato derubato dell'unico paio di scarpe che possedeva, nel salire le scale della stiva sentendosi pestare i piedi fu udito pronunziare queste parole: "Adesso che mi ànno rubato quell'unico paio di scarpe che possedevo, non sapendo in quale modo danneggiarmi, perché nulla posseggo, mi pestano i piedi"». Il nostro Malavasi riuscì a fare annotazioni turistiche: «Sul crepuscolo della sera il mare erasi alquanto calmato, ed alle ore 11 e tre quarti si passò lo stretto di Gibilterra ove trovai degna d'ammirazione l'illuminazione di quella città».

E infine, mentre le conta delle vittime cominciava a decelerare, arrivarono all'Asinara: «È una piccola isola al nord della Sardegna, punto quarantenario d'Italia e 300 galeotti ne formano l'unica colonia penale. Dopo 52 giorni di navigazione, senza mettere piede a terra, si sperava almeno che arrivando in patria, ci avessero concesso lo sbarco: ma anche questa fu una disillusione. La commissione sanitaria, in brevissimo spazio di tempo si recò per ben due volte a parlamento col nostro Comandante. Alle ore 3 e mezzo pomeridiane si recò a bordo del nostro piroscafo, e prese per bene in esame la condizione di salute dei superstiti. Tre cadaveri che avevamo a bordo collocati in una sol cassa su di una lancietta del *Remo*, vennero trasportati alla spiaggia e buttati in una fossa preparata in prossimità al Lazzaretto.

«Le fosse erano scavate nel vivo sasso, col mezzo delle mine. Quivi erasi saputo da tempo che 4 vapori con un 7000 persone a bordo, e che avevano delle malattie infettive, sarebbero venuti a fare quarantena; e forse per questo eransi preparate 6 fosse e colla profondità di metri 3 circa nelle quali venivano buttati cadaveri» finché non fossero state riempite fino all'orlo. Come prima cosa, finalmente, ognuno mandò un telegramma al paese per avvertire dell'accaduto. Quello di Malavasi, asciuttissimo, diceva: «Sindaco Cavezzo Modena – Colera a bordo respinti Brasile decessi Comune 5, quarantena indeterminata, noi bene, arrivederci, Malavasi».

Eppure, pare impossibile, il calvario dei passeggeri del *Remo* non era ancora finito. Sorde com'erano alle sofferenze della povera gente poiché «la pancia piena non sente la pancia vuota», le autorità del lazzaretto avevano predisposto per gli ospiti sopravvissuti a traversate d'inferno, giunti stremati, febbricitanti e affamati, un ricovero da bestie. Poco più che un ovile. Costretti a scendere a gruppi mentre il piroscafo veniva disinfettato settore per settore, i poveretti dovevano dormire «esposti a tutte le intemperie» e «sdraiati su di un grosso strato di arena del mare, la quale ne forma il pavimento» o al massimo, se finivano al piano superiore, «su di un tavolato di legno».

«Nella notte del 9 al 10 i poveri quarantenari dovettero soffrire immensamente, sia per la disagievolezza che per l'eccessivo freddo. Spirò durante la notte un vento frigidissimo, il quale, penetrando, sì per gli steccati d'entrata che per i pertugi semicircolari che funzionano da finestre, non permise a quegli infelici il menomo riposo. I trapuntini erano scarsi, ed i primi entrati essendosene impossessati, gli ultimi rimasero privi, costretti a coricarsi sull'arena del mare.»

Mancavano i viveri, mancavano i medicinali, mancava l'acqua. Proprio l'isola giusta, per ospitare le vittime di una malattia come il colera che dipende in modo determinante dalla mancanza d'igiene: «Per chi non lo sapesse al Lazzaretto dell'Asinara non c'è acqua dolce; tutte le mattine deve portarla una regia cisterna da Porto Torres e la si deposita in grandi serbatoi (olle). Credo che quest'acqua costi 50 centesimi al litro, mentre trovasi anche buon vino sardo a 30 centesimi». E se non avevano consapevolezza del tema le autorità sanitarie, potevano averlo certi villani veneti cresciuti in un casone di fango e paglia o certi cafoni calabresi che avevano sempre vissuto in una grotta o in una sola stanza con il bestiame? Manco passava loro per la testa che l'epidemia fosse esplosa per una questione di pulizia: «Quando gli uomini furono ordinati alla disinfezione colle loro valigie, fardelli, sacchi ed altro fu trovato mezzo di nascondere non poche di quelle cose nelle carbonaie». Lo stesso Malavasi non voleva saperne: «Mercé oculatezza e fatica potei sottrarre le mie robe a quella operazione».

Saliti i morti a 91, l'emergenza a poco a poco iniziò infine a rientrare, al punto che il medico decise di piantar tutti in asso per andarsene a caccia sull'isola.

Finché una mattina, dopo che al lazzaretto dell'Asinara il piroscafo era stato affiancato dal *Vincenzo Florio*, la bandiera gialla venne finalmente ammainata.

Fu allora che, per ordine degli armatori che sapevano di avere torto marcio non avendo fornito neppure quel minimo di garanzie che avrebbero potuto evitare o almeno contenere la strage, il capitano fece affiggere un manifesto sconcertante e offensivo: «In seguito al caso sfortunato che toccò al vapore *Remo*, e non esistendo colpa per parte dell'Armatore, Egli avrebbe il diritto di ripetere da voi le spese di ritorno e di quarantena. Ma è certo che se io venissi a chiedervi questo, rispondereste non possiamo pagare, per cui io vi domando solo: firmate una dichiarazione scritta nella quale riconoscete il dovere e che non lo soddisfate perché nell'impossibilità di farlo. Questa dichiarazione ve la presenterò e prima di firmarla ognuno avrà il diritto di leggerla. Da bordo del *Remo*, 16 Ottobre 1893. Il Comandante».

Della risposta, con il coinvolgimento di un paio di rappresentanti dei passeggeri, si fece carico il nostro cronista: «Illustrissimo Sig. Comandante, Noi sottoscritti emigranti a bordo del vapore *Remo*, letto il manifesto della S.V. affisso in alcuni punti del vapore suddetto, dichiariamo di non potere assolutamente firmare la dichiarazione di cui in quella è parola. Dichiariamo inoltre che crediamo esclusivamente responsabile delle maggiori spese incontrate dall'armatore pel ritorno da Isola Grande, il Governo Brasiliano e ci crediamo in diritto di esigere dal medesimo l'indennizzo dei danni sofferti avendoci Egli colà chiamati ed arbitrariamente respinti. Se però il suddetto Governo non fosse il responsabile ci riserbiamo il diritto di farci indennizare da chi sarà del caso, non essendo descrivibile la miseria e lo squallore in cui ci troviamo. Riverendola, ci professiamo, da bordo del *Remo*, 17 Ottobre 1893. Devotissimi Malavasi Cesare, Pagliucchi Igino, Guidorezzi Anselmo-Giulio».

Salparono, finalmente. E arrivarono a Napoli, dopo 65 giorni d'agonia, a mezzogiorno del 18 ottobre: «Non è a dire la gioia provata da tutti, specie dai meridionali. [...] Erano appena calate le ancore e senza che punto me ne fossi accorto, vidi il bastimento circondato da barchette a remi le quali erano costrette di rimanersene ad una certa distanza, perché impedite dalle guardie. In alcune barchette eranvi fruttivendoli e in altre consanguinei ed amici di passeggeri del *Remo*, che quivi premurosamente eransi recati per vedere di persona quei loro cari, che la morte avesse risparmiati. Fu indescrivibile la gioia provata da alcuni di quei visitanti nel vedere rimpatriati i loro parenti e sentire dalla loro viva voce i patimenti fatti, i pericoli corsi; ma non fu così per quelli a cui venne data la triste novella che i parenti o gli amici erano rimasti nell'ospedale dell'Asinara. È poi più facile immaginare che descrivere la fiera apprensione, e la stretta di cuore provata da altri, all'udire che il crudele destino aveva loro tolto per sempre il figlio, il fratello, la sorella».

Quando salì a bordo la commissione d'inchiesta mandata dal prefetto allertato da una lettera collettiva spedita dall'Asinara facendo fessa la censura, gli emigranti si ritrovarono le ciotole ricolme di carne. «Avete sempre mangiato così?» chiesero i commissari. Risposero: «Giammai». E aggiunsero che una tale porzione nelle nove settimane di navigazione, «avrebbe valso per una quantità di passeggeri otto volte maggiore». L'ufficiale più carogna, che un giorno aveva fatto versare nei pentoloni «diversi ramaiuoli di acqua salsa» per non dare il riso avanzato agli affamati che imploravano una seconda razione, chiese scusa delle sue sevizie. Un altro che aveva preteso tangenti per mettere nella cassaforte i poveri risparmi degli emigranti, restituì le mazzette. Il medico messo sotto accusa minacciò di querelare tutti.

L'unico a venire assolto, agli occhi degli scampati, fu il capitano Enrico Noberasco. Al quale i passeggeri vollero far avere un attestato di stima, riconoscendogli di essere stato il solo a mostrare buon cuore e imparzialità «in modo da renderci meno pesante e micidiale l'andata e il ritorno dall'Isola Grande rimanendo nella nave 70 giorni colla malattia che mieté vari de' nostri amici e compaesani».

Risalendo il Tirreno seppero finalmente qual era stato il bilancio finale della strage: 96 morti. Arrivarono a Genova la mattina del 23 ottobre. Tre giorni dopo, ottennero finalmente il permesso di sbarcare. Mentre una zattera rimorchiata da un vaporino lo riportava a terra, Cesare Malavasi elaborava la chiusa del suo reportage: «Fummo in breve sul molo e di là ci assomigliammo al nocchiero dantesco "che con lena affannata / uscito fuor dal pelago alla riva / si volge all'acqua perigliosa e guata"».

SIRIO, UNA COLPEVOLE FATALITÀ

Sugli scogli a tutto motore senza carte nautiche

Amalia Dal Lago in Serafini mise tutto in una botte: le piccole cose più preziose e le camicie, le canottiere, le lenzuola della dote, le mutande, le braghette dei bambini, i vestitini delle bambine. Non aveva mai avuto una valigia. Né immaginava, lei che già aveva provato uno spaesamento a trasferirsi con il matrimonio da Chiampo ad Arzignano, che le sarebbe mai servita. Così quando il marito Felice le disse che i passaporti erano pronti e che tra luglio e agosto sarebbero partiti per il Brasile, non trovò di meglio che recuperare quella specie di «container» agricolo senza dovere affrontare una nuova spesa.

Si erano venduti tutto, per andarsene: qualche campo, un paio di vacche, un po' di pecore, la povera mobilia e il pezzo di casa nel quale vivevano con la famiglia di Giorgio Serafini, il fratello più grande detto «Joio». Tutto. Non aveva visto altra scelta, Felice: dopo 15 anni di matrimonio si ritrovava con 8 figli vivi, precisazione importante data la mortalità infantile di quei tempi, e un nono in arrivo che non avrebbe conosciuto mai.

Per giorni e giorni, come avrebbero ricordato ancora un secolo dopo i nipoti custodendo le preziose memorie di famiglia, fecero il giro di tutti i parenti e di tutti i compari e di tutti gli amici per salutare una a una le persone che non avrebbero più rivisto. Perché avessero scelto il Brasile non c'era bisogno di spiegarlo, lo diceva una canzone piena di astio verso i ricchi, i padroni, i notabili che avevano un tenore di vita immensamente superiore: «Italia bella mostrati gentile / e i figli tuoi non li abbandonare / sennò ne vanno tutti in Brasile / e non si ricordan più di ritornare». Con quella strofa splendida e straziante che diceva: «Ogni po' noi si sente dire: "E vo / là dov'è la raccolta del caffè"».

Al consolato brasiliano avevano risposto che non c'era problema: le grandi famiglie di contadini veneti, dopo l'abolizione della schiavitù, erano sempre le benvenute. Una relazione prefettizia di fine Ottocento, citata da Francesco Jori ne *La nostra storia* per il centenario del «Gazzettino», considera il contadino veneto «instancabile, tranquillo, docile, remissivo, morigerato, poco esigente, difficilmente sindacalizzabile, restio all'organizzazione a fini di resistenza e di rivolta». E un rapporto consolare dell'epoca certifica: «Assai raramente si lascia spingere sulla via dell'insubordinazione, dello sciopero, del malcontento e di tutte lor conseguenze. E se proprio non è dotato di una grande sveglianza d'ingegno o se manca completamente d'istruzione, è però laborioso, sobrio, onesto, tranquillo. È veramente ammirevole la stoica filosofia con cui sopporta le privazioni, i disagi, le fatiche, la miseria; non si lagna mai, ed è al colmo della felicità quando ha potuto assicurarsi, anche con una meschinissima paga, che non morirà di fame. Paziente e rispettoso, solo alle volte si ribella contro i soprusi e le prepotenze, ma bastano poche parole per ricondurlo a miti sentimenti di concordia».

La testa piena di sogni, Felice e Amalia non avevano idea di ciò che accadeva laggiù. Padre Pietro Colbacchini, uno scalabriniano di Bassano del Grappa che in quegli anni lavorava con i nostri emigranti in Brasile, avrebbe raccontato in una sua memoria: «In non poche *fazendas* i coloni, come gli antichi schiavi che sono venuti a sostituire, non possono mai uscire dai possedimenti del padrone. Non si permettono visite di parenti o amici dimoranti in altre *fazendas*; è proibito di spostarsi alla chiesa anche nei giorni di festa, per non trovarsi a contatto coi loro connazionali; ed è perfino sorvegliata la loro corrispondenza postale. Così quei meschini vengono a trovarsi affatto separati da ogni civile consorzio, ignari di ciò che avviene altrove; e spesse volte, abbrutiti dall'acquavite, inconsci dei loro diritti, finiscono per adattarsi, con una specie di fatalismo, alla loro triste sorte».

Messi gli abiti più belli, Felice, la moglie e i figli passarono anche dal fotografo «L. Recalchi» per lasciare ai parenti un ricordo di tutta la famiglia. Lui, giacca, panciotto e camicia candida senza cravatta, è al centro in piedi, una piega amara sotto i baffi, una mano sulla spalla della moglie. Lei, la testa leggermente china per pudore, è vestita di nero con una spilla appuntata sul petto e i capelli raccolti. I figli più grandicelli, Umberto di 14 anni, Isidoro di 12, Silvio di 11 e anche Ottavio che di anni ne aveva solo 6, indossano una giacchina col gilè come fossero già adulti. Le bambine, Silvia di 9 anni, Ottavia di 7 e Lucia di 3 portano vestitini a rombi e a quadretti, così come l'ultimo nato Giuseppe che a 2 anni indossa un grembiulino che a suo tempo doveva essere stato delle sorelline.

Fatto tutto, reso rispettoso omaggio alle autorità comunali, raccolte 5000 lire per i biglietti e le prime spese, salirono infine una mattina su un carretto in affitto, si fecero portare da «Joio» alla stazione di Vicenza e da lì partirono in treno verso Genova, dove li attendeva la nave che avrebbe dovuto trasportarli dall'altra parte dell'Atlantico, il *Sirio*.

Era un vecchio «piroscafo veloce» costruito dai cantieri Naplier di Glasgow e varato nel marzo del 1883, 23 anni prima. Lungo 119 metri, largo poco meno di 13, dotato di lussuose cabine per 80 passeggeri in prima classe e per 40 in seconda più enormi camerate con cuccette per 1200 emigranti di terza classe, aveva un motore di 4400 cavalli e poteva correre a 13 nodi, cioè a circa 24 chilometri l'ora. Una velocità altissima, per l'epoca del varo. In quella maledetta estate del maledetto 1906, un *annus horribilis* segnato dal terremoto di San Francisco, dall'eruzione del Vesuvio e dall'esplosione nelle miniere di carbone di Courrières, al Passo di Calais, che aveva ucciso 1099 lavoratori, era però una nave vecchia, acciaccata da troppi viaggi transoceanici e, soprattutto, fuorilegge.

Le norme fissate nel 1901 per dare qualche tutela agli emigranti erano infatti disattese in un sacco di punti. Due su tutti: il *Sirio* non aveva la doppia elica e la dotazione di scialuppe, sgangherate, bastava soltanto per 400 persone contro un potenziale carico, compreso l'equipaggio, di circa 1500. Per non dire di garanzie elementari già imposte da tempo in altri paesi. Avrebbe scritto il «Giornale d'Italia» dopo la tragedia: «La sciagura non sarebbe accaduta se fosse stato messo in esecuzione il nuovo regolamento sull'emigrazione». Che prevedeva «rigorosissime disposizioni riguardo ai piroscafi addetti al trasporto degli emigranti» e prescriveva: «Alla patente di vettore siano ammessi soltanto piroscafi moderni, in eccellenti condizioni», ma soprattutto «con paratie stagne e doppiofondo continuo». Regole sacrosante. Che però erano bloccate da un anno al Consiglio Superiore della Marina «nel cui seno sono rappresentati vettori che hanno interessi opposti a quelli degli emigranti». Insomma: con le nuove regole, ancora stoppate dalla lobby degli armatori, «la nave *Sirio* che conta già 23 anni non sarebbe più rimasta in servizio».

Quel 2 agosto 1906, il vapore salpò da Genova a metà pomeriggio. Quanta gente avesse a bordo non si sarebbe saputo mai. Ufficialmente, così almeno disse il capitano, 695 passeggeri più 127 uomini d'equipaggio. Ma i numeri sono così controversi che, dopo la tragedia, ci si accapiglierranno per anni la Navigazione Generale Italiana proprietaria della nave, le assicurazioni e gli avvocati dei morti. Certo è che, fatto il carico di «tonnellate umane» nel porto ligure, il bastimento si fermò il giorno dopo per alcune ore a Barcellona, dove imbarcò diverse decine di emigranti spagnoli, per dirigersi infine verso Cadice e Gibilterra. Sulla rotta c'erano le Isole Hormigas.

«Fermiamoci un momento a considerare il teatro di tanto disastro» avrebbe scritto il «Corriere della Sera» del 9 agosto. «Cabo de Palos è un promontorio situato sulla costa orientale della Spagna, in provincia di Murcia, a 25 chilometri da Cartagena, verso Levante. [...] Sul Cabo, a 80 metri sul livello del mare, c'è un faro attivato nel 1865 alto 50 metri.» Un faro vistosissimo, di prim'ordine. Come vistosissimo era un secondo faro su Hormiga Grande, l'isola maggiore del piccolo arcipelago.

Perché tante attenzioni nei confronti dei naviganti? Perché il tratto di mare tra il promontorio di Palos e le isolette di fronte era uno dei punti più infidi della costa spagnola, a causa di una serie di scogli sommersi sotto il pelo dell'acqua. Una trappola dove da secoli venivano registrati rovinosi naufragi, l'ultimo dei quali solo 23 anni prima proprio di una nave italiana, la *Nord America*, affondata senza che, grazie a Dio, ci fosse un solo morto. Lo sapevano tutti, quanto fosse pericoloso passare lì, tanto è vero che i bastimenti per evitare ogni rischio transitavano una quindicina di miglia al largo. Lo sapevano tutti e lo segnalavano tutte le carte nautiche. Tranne, figurarsi, quelle in dotazione al *Sirio*.

«Telegrammi da Cartagena recano che il capitano della nave non si è suicidato, come ne era corsa voce, ma è sano e salvo a terra» si legge sul «Corriere» tre giorni dopo i fatti. «Egli si rifiuta di dare spiegazioni dicendo soltanto che le carte nautiche non segnalavano le rocce contro le quali avvenne l'urto.» In realtà, avrebbe accusato sullo stesso giornale Giulio Maggi, un ingegnere che col figlio Marco era riuscito a salvarsi, «un ufficiale del *Sirio* affermò che a bordo nessuno poteva conoscere la posizione degli scogli perché non possedevano tutte le carte dettagliate necessarie, ma solo una piccola cartina di rotta».

Fu con quella «piccola cartina» presa per risparmiare sulle vere carte nautiche che, per tagliare due ore di viaggio ed economizzare un po' sul carbone, il *Sirio* quel 4 agosto decise di passare proprio lì, nel tratto di mare davanti a Capo de Palos che il «Cor-

riere» avrebbe definito «un triste cimitero di bastimenti», spiegando che «solo una imperizia sorpren-
dente» poteva giustificare la scelta scellerata. Erano le
4 del pomeriggio di una giornata bellissima.

Avrebbe raccontato il comandante della nave francese *Marie Louise*, che con cautela saliva verso Ali-
cante: «Vidi passare il piroscafo italiano *Sirio* che navigava a tutto vapore. Facevo notare il suo passaggio al
collega di bordo quando osservai che esso si era improvvisamente fermato. [...] Vidi la prua alzarsi, inabis-
sando la poppa. Non vi era più alcun dubbio: il *Sirio*
aveva avuto un urto. Subito feci dirigere il *Marie Louise*
verso il *Sirio*. Udimmo allora una violenta esplosione, le
caldaie erano scoppiate. Poco dopo vedemmo dei cadaveri sulle onde, nello stesso tempo delle grida disperate che chiamavano soccorso giungevano alle nostre
orecchie».

Il rapporto ufficiale del comandante del piroscafo
austroungarico *Buda*, un fiumano di nome De Tra-
nich, fu sostanzialmente uguale: «Nel passargli di
fianco giudicai che stringesse troppo sullo scoglio [...]
Il sole dardeggiando su quei paraggi, la luce troppo
intensa offuscava il profilo delle terre circostanti e ne
faceva apparire più confusi e più distanti tanto la
costa quanto gli scogli». A un tratto, proseguiva,
«potei scorgere improvvisamente il sollevarsi della sua
prua dall'acqua e l'inclinarsi precipitoso dello scafo
sul fianco destro. Contemporaneamente vidi abbas-
sarsi la parte posteriore».

«Il fischio della sirena e i viaggiatori chiamavano disperatamente aiuto» scriverà l'ingegner Maggi. «L'acqua, dopo avere invaso le cabine di prima classe, pe-
netrò nel corridoio a destra e invase completamente lo

spazio intorno al boccaporto di poppa e il corridoio a destra delle macchine nel quale stavano ammucchiati molte donne e bambini che, sommersi, furono trattenuti sotto il soffitto e non poterono essere soccorsi. Subito dopo l'urto, il basso personale di bordo e di macchina riuscì a gettare in mare una delle zattere che si trovavano a poppa, sopraccoperta, e si allontanò col terzo ufficiale, Baglio. Sul vapore non restarono quindi che gli ufficiali i quali furono i soli a dirigere il salvataggio. I passeggeri tentarono di calare in mare le scialuppe ma per imperizia le capovolsero. Visto il cattivo risultato, e anche perché non si trovarono coltelli per tagliare le corde né si sapeva sciogliere i nodi, le rimanenti scialuppe restarono inutili al loro posto.» Una denuncia confermata dalla cronaca del giornale che spiegava i motivi per cui ogni operazione di salvataggio era fallita: «Gran parte del personale si era allontanato sopra una zattera con l'ufficiale Baglio». Una vergogna. Resa ancora più evidente dal fatto che, stando alle liste dei morti, tutti i graduati a partire dal capitano risultavano essersi messi in salvo.

Salvatore Livi, un emigrante di Ponte all'Ania, darà sul foglio quotidiano «L'Esare» di Bagni di Lucca una versione appena appena diversa: «Furono gettate a mare le lance, ma si riempirono subito di tante persone che, per soverchio peso, le fecero affondare e così tutti i disgraziati che vi erano precipitati invece che la salvezza trovarono la morte. La costa era lontana 3 chilometri dal piroscafo e gli scogli che superavano l'acqua circa un chilometro e mezzo. Venticinque o trenta uomini si salvarono guadagnando a nuoto gli scogli dove rimasero per tutto quel giorno e la notte successiva, senza nulla da mangiare».

Sedici giorni ci avrebbe messo, il *Sirio*, ad affondare del tutto. Sedici giorni. «L'abbandono immediato del bastimento senza che una testa fredda e una volontà pronta ed energica riuscisse a organizzare meglio il salvataggio di tante vite umane resta inspiegabile» scriverà ancora il «Corriere» precisando che per un tempo interminabile erano rimasti fuori dall'acqua la prora, le ciminiere e il ponte di comando e insomma «una superficie la quale sarebbe stata sufficiente per raccogliere 822 persone, tra passeggeri ed equipaggio».

Fu così lento, l'affondamento, che uno dei marinai precipitatisi in aiuto dei naufraghi, fece addirittura in tempo a estrarre la macchina fotografica e scattare una serie di immagini sfocate e spaventose giunte fino a noi. Ecco la prua completamente emersa fino a una buona metà della nave. Ecco le scialuppe dei pescatori spagnoli che raccolgono la gente allungando i remi a questo e a quel naufrago. Ecco tante teste che emergono dall'acqua.

Avrebbero potuto salvarsi quasi tutti, scriveranno i giornali. Invece, raccontano i brandelli di cronaca sparsi qua e là nelle pagine ingiallite del «Corriere», fu l'inferno: «Il primo senso di stupore degenerò in un batter d'occhio in un folle panico, producendo una confusione indescrivibile. I passeggeri, correndo all'impazzata e gridando disperatamente, rendevano impossibile l'opera di salvataggio». «Le onde hanno rigettato sulla spiaggia il cadavere di una ragazza italiana, quindicenne, splendidamente bella, la quale stringeva ancora tra le mani il ritratto del fidanzato, che laggiù in America l'aspettava.» «A uno degli alberi del *Sirio* si erano avvinghiati 6 ragazzi le cui madri si trovavano troppo lontano per poterli soccor-

rere. Le grida delle madri erano strazianti. Le ondate
staccarono ad uno ad uno quei ragazzi dall'albero get-
tandoli in mare sotto gli sguardi delle povere madri
impotenti a salvare le loro creature.»

Il caos era tale, racconterà il «Diario Universal»,
che i soccorritori stessi dovettero imporsi con le armi:
«Non appena avvenne l'urto, tutte le barche da pesca
che si trovavano vicine accorsero per portare soccorso
ai naufraghi. Nell'opera di salvataggio si distinsero
specialmente i due vapori *Joven Miguel* e *Vicenza Lli-
cano*. Il comandante del *Joven Miguel* tenne una condotta veramente eroica. Egli collocò il suo vapore
contro il *Sirio* e poté raccogliere 300 naufraghi. Il *Sirio*
colò a poco a poco, minacciando di inghiottire anche
il *Joven Miguel*. L'equipaggio di quest'ultimo voleva
ritirarsi ma il comandante si oppose energicamente
con la rivoltella in pugno dicendo: "Finché ci sarà un
naufrago da raccogliere noi non ci muoveremo da
questo posto". Tutti i naufraghi messi in salvo si osti-
navano a rimanere sul ponte a rischio di far rovesciare
il vapore, il quale era privo di zavorra. Il padrone della
nave, con la rivoltella in pugno, li costrinse a scendere
sotto il ponte».

Non mancarono esempi di eroica generosità. L'uomo
che annegò stremato dopo aver messo in salvo tutti
quelli che poteva. Il vecchio pescatore Tio Pedro che
«malgrado la grave età» si dannò l'anima per salvare
«moltissimi infelici». Il giovane frate che, «attaccato a
una corda coll'acqua al collo, annegò benedicendo».
Per non dire della commozione che avrebbe destato la
sorte dell'arcivescovo brasiliano di San Paolo.

Il vescovo di Belém nel Pará, che era stato accanto
al fratello paulista fino all'ultimo, scriverà al segreta-

rio di Stato vaticano Merry del Val, autore di un messaggio di cordoglio: «Inginocchiati entrambi, ci siamo dati a vicenda l'assoluzione, come l'abbiamo data alle molte persone che ci circondavano domandando misericordia. Fummo sommersi tenendo in mano un solo salvagente. Quando tornai a fior d'acqua non vidi più il vescovo di San Paulo. Benché vestito, lottai per quattro ore contro le onde e fui finalmente salvato da un pescatore insieme ad altri 12 naufraghi. Il segretario del vescovo di San Paulo è salvo e cerca il corpo del vescovo per dargli sepoltura». Il «Corriere» sosterrà che «il suo ultimo gesto, prima di incontrare la morte con cristiana freddezza, fu di sacrificio, perché cedette il suo salvagente a un altro naufrago quando già erano in mare».

L'Italia intera seguirà palpitando per giorni e giorni, mentre a Genova si riversano le famiglie dei dispersi, le storie più belle, incredibili, strazianti. Come quella di un lattante tutto fasciato che è stato miracolosamente portato dalle acque, ancora vivo, fino alla spiaggia. O quella del medico di bordo Scorzone che, dopo essersi prodigato per tanti, ha ritrovato a terra la moglie e la figlia che credeva morte. E del famoso torero Bienvenida che non solo ha versato per i naufraghi tutto il suo guadagno ma ha interrotto pure la corrida di Cartagena per indire lì nell'arena una colletta tra gli spettatori che si sono accalcati per riempirgli di monete e banconote il berretto.

A dominare, però, saranno altri racconti. Umilianti: «Nella suprema, spietata lotta per la vita chi ha perduto ha perduto. E pace ai vinti. Ma non tutti i vincitori potranno gioire serenamente, in quanto molti, forse troppi, avrebbero a buon punto adottata la massima del pensiero egoista: *mors tua, vita mea*» denuncerà ferito nell'amor patrio il «Corriere», palesando il sentimento di sconcerto, indignazione, delusione per quegli atti che disonoravano l'Italia e gli italiani. Come negare ciò che scriveva «la stampa estera e specialmente la stampa inglese» e cioè che si erano visti «atti di brutale ferocia e lotte a colpi di coltello per la salvezza della vita a prezzo della vita dei più deboli»? «Un passeggero di prima classe, figlioccio a quanto dice della regina Margherita, narra particolari terribili. Egli racconta che, mentre molte donne si disputavano selvaggiamente i salvagenti, sopraggiunse un gruppo di uomini, i quali brutalmente le respinse, prendendo per sé gli apparecchi preziosi. Tutte le donne annegarono. Un uomo invece, che era stato invitato a salvarsi, disse che non lo avrebbe mai fatto fin che fosse rimasta una donna o un bambino a bordo.» «La lotta selvaggia per la conquista di un salvagente o di un posto in una scialuppa paralizzò ogni energia.»

A rileggere un secolo dopo l'articolo di fondo del «Daily Telegraph», che tirava in ballo scene simili già viste tra gli emigrati italiani 15 anni prima nel naufragio dell'*Utopia*, c'è da arrossire: «Il temperamento latino è capace dei più grandi coraggi in certe circostanze, ma s'infrange quando è invaso dal panico. I passeggeri anche allora lavorarono di coltello per giungere a impadronirsi dei salvagenti come quelli del *Sirio*: fu allora un terrore che colse tutti. Senza insistere sui dettagli di ferocia, si può dire solamente che sono quasi tutte donne e fanciulli quelli che non poterono essere salvati».

La famiglia di Felice Serafini venne spazzata via. Due settimane dopo, scampato al disastro e tornato a

Vicenza, l'uomo raccontò in lacrime la sua storia a «Il Berico»: «Abbiamo sentito un urto violento contro lo scoglio, poi uno scricchiolio prolungato e alla fine un colpo violento come una cannonata. [...] Siamo d'un colpo piombati in acqua. Io venni quasi subito gettato da una forte ondata contro la nave così che potei attaccarmi a una corda e arrampicarmi su per le vele».

Il primo pensiero, disse, «era corso ai figli». In mezzo a quella calca terrorizzata e urlante aveva riconosciuto Isidoro, che in casa avevano sempre chiamato Gino: «Era colla testa fuori dall'acqua e gli gridai: "Gino, salvati!". "Sì, papà" mi rispose il piccino, ed un flutto d'acqua lo portò lontano dai miei occhi.

«Intanto, continuò il superstite con voce commossa, era giunto presso il *Sirio* un veliero spagnuolo che raccolse moltissimi naufraghi. Appena vidi una via di scampo, mi lasciai scivolare dalle vele alle quali ero aggrappato e con slancio vigoroso riuscii a raggiungere e a salire sul veliero quando, pieno zeppo di infelici al pari di me, stava per prendere il largo.

«Dopo breve rotta giungemmo a Cartagena dove una immensa folla di popolo aspettava ansiosa notizie del *Sirio*. Venimmo tosto aiutati da quella buona gente che ci diede da mangiare ciò che aveva lì per lì e cioè pane, sardine, frutta e un po' di vino. Rifocillati alquanto ci si condusse ad un teatro e quivi passammo la notte. E Dio mio, che notte! Non ve la posso in verità descrivere. Niuno di noi certo (ed eravamo in molti) poté chiuder occhio; il cuore ci scoppiava in petto dallo strazio che provammo al pensare ai nostri cari scomparsi nel naufragio in modo così brutale. Mia moglie, i miei figli gridavo io dal mio giaciglio giungendo le mani al cielo; ed al mio rispondevano le grida dei compagni che ancor essi nulla sapevano sulla sorte di persone care! Ah, signori! Il dolore da me provato in quella notte non lo auguro per vero a nessun altro al mondo!

«Come Dio volle spuntò l'alba e le caritatevoli persone che ci avevano trovato un rifugio per la notte ci condussero in uno stabilimento ove erano raccolti altri superstiti. Io girai ansiosamente lo sguardo attorno e svenni quasi dalla commozione vedendomi venir incontro i miei due piccini Gino e Ottavio!»

«E come si salvarono quei vostri figliuoli?» chiese il giornalista.

«Non lo so, come pure non lo sanno nemmeno essi. Coi miei figli girai quel giorno per Cartagena fatto segno alla pietà di tutti. Mi venne chiesto della mia provenienza, dei bimbi e se con essi intendevo continuare il viaggio per l'America oppure ritornare in patria. Mi decisi per il ritorno ed eccomi infatti qui, povero e miserabile senza la moglie e senza 6 figli.» E con uno sforzo supremo, scrisse il giornale, «il povero uomo ricacciò in gola un amaro singhiozzo».

Tornato ad Arzignano coi due bimbi sopravvissuti, Felice Serafini venne consigliato da amici di far causa alla Navigazione Generale Italiana. Si trovò un avvocato e presentò una memoria denunciando come a Genova si fossero rifiutati di riconoscergli qualsiasi indennizzo fatte salve 445 lire corrispondenti al costo di 3 biglietti: il suo e quelli dei 2 figli rimasti vivi. Lui chiese 1246 lire di rimborso per tutti i biglietti comprati, 2000 lire per la botte coi bagagli perduti e 70 mila lire di danni morali per la perdita della moglie e di 6 figli.

La compagnia di navigazione fece di tutto per non

risarcire il poveretto. E dall'atto dell'avvocato Pietro Giuriolo si scopre che ricorse a un trucco indecente: dichiarò formalmente l'abbandono della nave solo due giorni dopo il disastro, quando ancora il vapore emergeva per una metà e poteva sulla carta essere recuperato. Insomma: per 2 giorni finse che il bastimento potesse ancora navigare e fosse stato abbandonato immotivatamente dai passeggeri. Tanto che allo stesso Serafini, come a tutti gli scampati, notificò «l'atto di abbandono» quasi che l'uomo se ne fosse andato di sua spontanea volontà rompendo, ed ecco il rimborso dei biglietti, il contratto di viaggio verso il Rio Grande do Sul.

Dall'inchiesta e dalle polemiche sui giornali, si legge nel saggio *Responsabilità marittime* del comandante Giovanni Roncagli che pure è indulgente con gli ufficiali e scrive che se il *Sirio* restò a galla tanti giorni «colla terribile spada confitta nel ventre» significa che non era poi «una vecchia carcassa» ma «un vecchio gagliardo», venne fuori di tutto. Che c'era stato «indiscutibilmente un errore di rotta». Che come quel vapore erano «vecchie o decrepite» 72 delle 102 navi della NGI. Che la stessa compagnia incassava da anni dallo stato, per portare gli emigranti, aiuti e sovvenzioni per 9 milioni e 300 mila lire l'anno pari a un terzo (!) del suo capitale e nonostante questo aveva «trascurato in modo deplorevole la rinnovazione del proprio materiale natante». Che a bordo c'erano 8 scialuppe più 2 zattere di salvataggio che avrebbero potuto ospitare al massimo «la metà o poco più della gente imbarcata».

L'ebbe vinta, alla fine, il nostro Felice. E ricevette per tutti quei suoi morti un risarcimento che se non gli placò il dolore gli permise almeno di comprare a Castello d'Arzignano 12 campi dove costruì con le sue mani una casetta per sé e per i figli. Dell'America non volle più sentir parlare. L'assicurazione Lloyd's stilò un bilancio ufficiale di 292 morti, contestato dalle controparti che, accusando gli armatori d'aver caricato più persone di quante dichiarate, calcolarono le vittime tra le 440 e le 500. Il comandante della nave, il genovese Giuseppe Picone, descritto dal «Corriere» come «un vecchio che non si reggeva in piedi» incapace prima di scegliere la rotta corretta e poi di organizzare il salvataggio, non arrivò neppure al processo. Rientrato a Genova, si chiuse in casa e non volle più vedere nessuno.

Amare beffe del destino: era stato ancora lui, 23 anni prima, a condurre il *Sirio* dalla Scozia al Mediterraneo nel suo primo viaggio per mare. Morì due mesi dopo l'affondamento. Di rimorso.

PARADISO FANTASMA VENDESI

Da Treviso all'Oceania tra imbrogli e cannibali

«Bonaventure.» Quel bastardo di Charles Bonaventure du Breil de Rays era un truffatore perfino nel nome, che irrideva osceno all'augurio di «buona ventura». Marchese, erede di un'antica famiglia bretone di Finistère travolta dalla rivoluzione francese del 1789, megalomane, animato da uno spirito salgariano, le aveva provate tutte, prima di buttarsi in quell'avventura che sarebbe costata tanti lutti e tante sofferenze a centinaia di poveretti. Aveva tentato la sorte partecipando alla conquista del Far West americano, dando vita a un commercio di arachidi in Senegal, avviando fallimentari affari in Madagascar e in Indocina. Finché, letto casualmente il rapporto di un navigatore francese che aveva toccato le coste di quella che allora si chiamava Nuova Irlanda, nell'oceano oltre la Nuova Guinea, descrivendole come «terre di buon clima, di belle baie e di brezze gentili» con «selvaggi amichevoli» e «notti belle e calme», non s'era incaponito su un progetto: fondare laggiù la Libera Colonia di Port Breton. Capitale della Nouvelle France. Una patria «libera e cattolica», antimodernista e fedele agli insegnamenti dell'amato Pio IX. Patria che lui stesso avrebbe governato quale «presidente dell'Oceania».

Dotato di due folti mustacchi, un vistoso papillon e un certo fascino malandrino, il marchese che un secolo dopo sarebbe stato al centro anche di un avvincente romanzo di Stanislao Nievo dal titolo *Le isole del paradiso*, lanciò la sua esca il 26 luglio 1877 con un annuncio pubblicitario sul «Petit Journal» di Parigi: «Libera Colonia di Port Breton. Terre a 2 franchi l'acro. Fortuna rapida e sicura senza lasciare il proprio Paese». Non abboccò, pare, nessuno: come fidarsi a investire in una terra dall'altra parte del mondo coltivata chissà come e chissà da chi? Ma il venditore di sogni non si diede per vinto. Due anni dopo rilanciava il progetto in una conferenza pubblica tenuta il 3 aprile 1879 a Marsiglia. Stavolta cercava contadini disposti a trasferirsi: «Noi offriamo appezzamenti di buona terra da colonizzare a chiunque si unisca a noi e a questo proposito emettiamo dei buoni a 5 franchi l'ettaro...».

Il marchese, scrive Gabriella Dondi nel saggio *Coloni per caso, emigranti per forza: i veneti di New Italy tra Otto e Novecento*, assicurò che «il luogo aveva un clima mite, una temperatura oceanica tra i 25 e i 28 gradi centigradi» e un terreno molto fertile, dalla altitudine che «variava cosicché ciascuno sarebbe stato in grado di scegliere il luogo che meglio gli si addiceva. Successivamente diede al pubblico un elenco di prodotti coloniali coltivabili laggiù che a suo parere avrebbero potuto essere venduti in Australia: "Sarà sufficiente per noi inviare nei porti australiani il nostro legno, il nostro carbone, il nostro copra [...] ogni tonnellata di carbone di legna sarà pagata 10 franchi [...] pesce salato ed essiccato sarà venduto ai cinesi [...] che ne sono molto golosi"». «Il suo atteggiamento è risoluto e sincero» scrisse il giorno dopo «La Gazette du Midi». «Il suo vigore è la sua vera forza bretone, tutte le sue virtù ci ben dispongono in suo favore. La sua confidenza nel progetto e la sua speranza sono sincere e ragionevoli.» E se ci cascarono i giornalisti come potevano non cascarci centinaia di contadini poveri e semianalfabeti?

Sui muri di tutta Europa vennero affissi 400 mila manifesti che illustravano le meraviglie di questa terra promessa vantata da libri e libretti spacciati in Francia, in Belgio, in Spagna e in Italia in cui si magnificava «la perfetta organizzazione della nuova colonia». La voce arrivò, di bocca in bocca, di truffatore in truffatore, di illuso in illuso, fino alle povere case di Conegliano, Cavaso del Tomba, Oderzo e di altri paesi della pedemontana trevisana. «Per sole 1800 lire a famiglia, qualunque fosse il numero dei componenti, si comprava casa, campi, trasporto in terza classe, vitto compreso e 100 chili di bagaglio personale, il mantenimento per i primi 8 giorni dopo lo sbarco presso un albergo della Colonia, una razione alimentare cadauno per i primi 6 mesi (per i bambini, mezza razione), e il trasferimento di persone e cose nella nuova dimora» racconta in *Addio patria* Ulderico Bernardi. «Chi non disponeva d'altra somma che per il passaggio marittimo, sempre a costi contenuti, avrebbe potuto raggiungere comunque la condizione di proprietario, lavorando per 5 anni nella Colonia. Come specificava il contratto firmato dagli emigranti: "In compenso del suo lavoro e del lavoro della sua famiglia, o del mandato che gli sarà affidato, riceverà al termine dei 5 anni, per sé e famiglia qualora rimarrà fedele ai suoi impegni, una casa di 4 stanze, costruita in legno, mattoni o pietra, secondo le località, e 20 ettari di terra; potrà anche ricevere in remunerazione dei suoi servizii e della sua condotta una concessione di terra più considerevole e proporzionale ai suoi meriti. Sarà altresì alloggiato e nutrito gratuitamente, nonché la sua famiglia, durante il periodo del contratto".»

Per quei contadini, che vivevano tra gli stenti in una terra oggi ricchissima dove allora tre persone su quattro avevano un reddito inferiore alle 100 lire annue con cui non si arrivava a comprare mezzo chilo di pane al giorno, dove la troppa polenta chiazzava le facce con la pellagra, dove gli allevamenti di bachi da seta erano continuamente devastati da epidemie assassine, era un miraggio da non dormirci la notte: una casa di quattro stanze! Venti ettari di terra! «Quanti sono 20 ettari?» si chiedevano l'un l'altro. «Quaranta campi trevisani.» «Quaranta campi trevisani!» Con 40 campi, come avrebbe spiegato Girolamo Tomè alla fine dell'odissea, quando fu interrogato da un funzionario di polizia australiano, «uno diventa un signore e non ha più paura di niente».

In più, quella brava gente cattolica tirata su col *Catechismo agricolo ad uso dei contadini*, era attratta da quegli appelli messianici alla «vera fede» nei quali il marchese era bravissimo a chiamare a raccolta: «Il pensiero della nostra colonia libera è nato da un vero senso religioso e patriottico. Gli strazi dell'Europa, le nubi dell'orizzonte, le sofferenze perpetue nel profondo del nostro essere, i nostri sentimenti di cattolici e francesi non sono ignoti. Ahimè! Povera Patria, che ne è divenuto della tua gloria? Figlia prediletta della Chiesa, dov'è dunque la tua corona?».

Certo, qualche preoccupazione restava. E le bestie

selvagge? Gli indigeni? L'oceano? Un certo Schenini, l'agente milanese del marchese, rassicurò sorridente Giuseppe Martinuzzi, Girolamo Tomè e Vincenzo Nardi, incaricati dai compaesani di informarsi meglio sull'affare: Nouvelle France era «una terra a sud della zona torrida, in un'area temperata, assolutamente salutare, rinfrescata tutto l'anno dalle brezze del Pacifico, libera da epidemie e malattie contagiose che erano sconosciute, facile da coltivare e dalla prodigiosa fertilità». Così generosa con chi sapeva sfruttarla che un paio di ettari sarebbero bastati a dar da mangiare a una famiglia numerosa: «Tutta la terra rimanente potrà essere coltivata a caffè ed in pochi anni ogni ettaro di terra produrrà un raccolto del valore di 1000 franchi». Mille franchi! Quanto agli altri dubbi, non c'era la risposta sul manifesto? «Gli indigeni sono civilizzati come noi e i coloni non dovranno preoccuparsi di assalti indiani o delle bestie feroci, perché non ce n'è nessuna nella colonia.»

La voglia di partire, tra i paesi trevisani infettati dalla propaganda, s'infiammò. Alla fine, dopo aver venduto case e bestiame e mobili, si ritrovarono pronte a partire una cinquantina di famiglie pari a, il numero esatto non si è mai saputo e gli storici danno cifre diverse, circa 300 persone. Quattordici della sola famiglia Tomè.

«Attenzione: gira voce che sia un imbroglio» risposero i funzionari di polizia quando gli incaricati del piccolo esodo si presentarono a chiedere i passaporti. I consolati in Spagna e in Francia avevano lanciato l'allarme: niente documenti. Schenini, racconta la Dondi, prese carta e penna per esprimere alle autorità italiane tutta la sua indignazione. E dopo aver spiegato che non solo quella lontana terra era fertilissima ma ci avevano pure scoperto una miniera d'argento, insisteva: «Il sottoscritto richiama l'attenzione di Codesto Ministero sulle disastrose conseguenze, gli interessi lesi e sui danni immensi ed incalcolabili che vanno a colpire le numerose famiglie che comperarono terreni, le quali già sulle mosse di partire, licenziarono case e terreni, qui in Italia e tutto hanno già venduto». Seguiva una lezioncina sociologica: «Nel tristissimo stato economico e colla crisi annonaria in cui trovansi non solo l'Italia, ma altre nazioni a noi vicine una volta tanto floride, è vivamente sentito dalle popolazioni specialmente agricole, il bisogno di espandersi e cercare in altre latitudini il necessario all'esistenza». Comunque, «per sovrabbondanza ed a tranquillità di cotesto Ministero, il sottoscritto avverte che le famiglie ora in partenza furono già precedute nella nuova colonia da altre due numerose spedizioni attualmente già in luogo e perfettamente stabilite con loro soddisfazione in Porto Bretone». Falso. Falso. Falso. Tutto falso.

Girolamo Tomè e gli altri, però, ci cascarono. Contro tutto e contro tutti. E partirono, pare il 4 aprile del 1880, anche senza passaporti. Un po' «coi carri dei zingari», come avrebbe intonato una straordinaria canzone, un po' in treno, un po' a piedi. Stracarichi di attrezzi agricoli, fagotti e bambini, si misero in marcia verso la Francia, passarono clandestinamente il confine e raggiunsero Marsiglia. Nuova domanda al nostro consolato: vogliamo i passaporti. Nuovo rifiuto: no. E ogni insistenza fu inutile. Ma Rays aveva lì a Marsiglia una sua base e uomini ben introdotti, e riuscì in qualche modo a imbarcare il gruppo, ancora clandestinamente, per farlo arrivare a Barcellona.

Per quasi 3 mesi, spiega la storica australiana Anne-Gabrielle Thompson in *Turmoil-Tragedy to Triumph*, i poveretti si fermarono lì a Barcellona «in alloggi squallidi e condizioni igieniche allarmanti», per 3 mesi batterono e ribatterono nella richiesta dei passaporti al console italiano del capoluogo catalano e per 3 mesi il console, istruito da Roma, rifiutò. Ma se era deciso il governo italiano a impedire la loro partenza, erano decisissimi loro a partire. Finché, dopo un braccio di ferro tra le autorità spagnole, che volevano organizzare il rimpatrio a spese del governo italiano, e il nostro console, che diceva che le spese dovevano toccare a Rays, i cocciutissimi veneti «eccitati dal fascino imbroglione del marchese», l'ebbero vinta. Volevano rischiare? Basta: affari loro. E il consolato cedette: ecco i passaporti. Buona fortuna.

Salparono il 9 luglio, su un vapore chiamato *India*, di 885 tonnellate, sul quale il comandante aveva caricato, per chissà quale bizzarra idea del marchese che evidentemente voleva mostrare agli spagnoli e al mondo una certa sua *grandeur*, una notevole quantità di provviste e materiali vari tra i quali c'erano perfino collari per i cani e specchietti e campanellini da scambiare forse coi selvaggi. Charles Bonaventure du Breil de Rays era sul molo a salutare. Era la terza nave che mandava laggiù, dopo il veliero *Chandernagore* e il vapore *Genil*. Tra i passeggeri c'era un missionario, padre René Marie-Lannuzel, e un dottore, un certo Guyon.

All'arrivo a Porto Said, in Egitto, dieci giorni dopo, il medico di bordo aveva già registrato il primo morto: Lucetta Roder, una giovane vedova madre di 2 figli che si era imbarcata con i cognati. Nella navigazione lungo il canale di Suez, scrive in *New Italy* Floriano

Volpato, un veronese emigrato a Lismore che fu l'entusiasta promotore del museo che oggi raccoglie le foto e le lettere e le cesoie da vigna di quei poveretti, morì il piccolo Giovanni Nardi, di un anno. Ma la strage era appena all'inizio. La nave, poco più che una carretta del mare come quelle che oggi vanno alla deriva nel Mediterraneo, si fermò per un guasto ad Aden. Due settimane di sosta. Nel caldo spaventoso, tra dissenterie, vomiti, pulci, zecche, infezioni di ogni genere si spensero uno dopo l'altro 6 bambini: Giovanna Antonioli e Genoveffa Martinuzzi e Agata Roder e Francesco Mellarè e Carlo Tomè e il piccolo Lodovico Lorenzini, che era nato a bordo 17 giorni prima. Altri due figlioletti, Nicodemo Bertolo e Cristina Roder, morirono lungo la rotta per Singapore.

Sconvolti da tanti lutti, ridotti a poveri scheletri, minati nel morale, affamati perché «nessun accorgimento era stato preso per salvaguardare il cibo» e, a mano a mano che le temperature si alzavano, le scorte di carne salata dovevano essere gettate a mare, i superstiti arrivarono finalmente ad avvistare il loro «paradiso fantasma» l'11 ottobre. Un colpo al cuore: l'unico segno di vita era il *Genil* alla fonda nella baia. Le strade, le casette, la chiesa, la locanda dove avrebbero dovuto dormire durante la costruzione delle cascine non c'erano: mai esistite. E non c'erano né campi né ruscelli né il dolce clima provenzale benedetto da «brezze uguali a quelle mediterranee»: solo una striscia di sabbia bianca e il muro verde di una giungla impenetrabile. Dalla quale, narrerà Volpato cogliendo forse qualche leggenda tramandata di padre in figlio, sbucò un genovese miracolosamente sopravvissuto alle prime spedizioni. Disse di chiamarsi Boero e raccontò che i superstiti del suo gruppo, arrivato qualche tempo prima con il *Chandernagore* e assottigliatosi lungo il viaggio dai lutti, erano stati abbandonati dal capitano tra le paludi della baia Liki-Liki, sulla costa sudorientale. Decimati dalle febbri, dalla fame, dagli incidenti, erano rimasti alla fine in 6 e avevano tentato la sorte con una scialuppa lasciata lì dalla loro nave finendo su un'isola vicina dove erano stati assaliti e catturati dai tagliatori di teste. Tutti i suoi compagni erano stati uccisi, decapitati, mangiati. Lui si era salvato perché, impazzito dalla paura, era stato colto da una crisi isterica di urla e di pianti. I cannibali non avevano mai visto nulla di simile. E l'avevano lasciato vivere. Per poi venderlo al capitano del *Genil*, che l'aveva riportato a Port Breton, in cambio di due accette.

Altri, davanti a racconti come questo, avrebbero mollato tutto. I nostri no. Ci provarono lo stesso, a creare una colonia. Dissodarono pezzi di terreno impossibili da dissodare e mangiarono i cibi più immangiabili e costruirono una grande casa di legno della quale rimane perfino uno schizzo tracciato con mano infantile. Per quattro mesi riuscirono a resistere. Mentre altri di loro venivano via via uccisi dalle malattie, dalle infezioni, dalla fame... Il 30 ottobre morì Marco Tomè, che aveva 44 anni, il 31 toccò a Giuseppe Battistuzzi, che ne aveva 24. Qualche giorno dopo, racconta la Thompson, passò di là un'imbarcazione britannica, l'HMS *Beagle*. Il capitano Houghton lodò la capacità formidabile degli italiani di resistere ma espresse tutta la sua preoccupazione: questa terra non si può abitare. Ancora qualche giorno e ai nostri fece visita un missionario, George Brown, della missione dell'isola Duke of York, che già si era prodigato per i superstiti del *Chandernagore*. Restò impressionato dai progressi ma anche lui insistette: questa terra non si può abitare.

A dicembre, mentre i poveretti si accanivano nel disperato tentativo di rendere coltivabile quella loro inospitale terra, usciva sul parigino «Le Figaro» un articolo, poi ripreso dal Nievo nel suo romanzo ricco di citazioni attinte dalla storia vera, che spazzava via gli ultimi dubbi: «Ricordate la nave *Chandernagore*, che partì dall'Olanda dopo che Francia e Belgio avevano rifiutato di prestarsi alla sua pazzesca operazione coloniale? Ebbene, alcuni superstiti del *Chandernagore* – che con 80 coloni andava a fondare una nuova nazione a nord della Nuova Guinea, nella lunga e montuosa isola chiamata Tombara dai nativi, New Ireland sugli atlanti e Nouvelle France dal marchese de Rays – sono tornati a Parigi, senza soldi e speranze.

«Ora sappiamo che il *Chandernagore* [...] raggiunse la terra promessa in 4 mesi di navigazione, perdendo metà dei suoi passeggeri a causa di mille incidenti. E che i superstiti, sbarcando nell'isola fatata, la trovarono selvaggia, rocciosa, impreparata a qualsiasi sfruttamento e ricca soltanto di pioggia, cannibali e febbri.

«Dopo alcuni giorni» continuava il giornale «il capitano e l'equipaggio fuggono abbandonando i coloni che cercano disperatamente di sopravvivere in questa landa remota. Passano i mesi, restano in 25, gli altri spariti, morti, divorati dai selvaggi. A questi uno sfugge, un certo Boero, narrando la più atroce delle prigionie [...] Chi potrà mai coltivare questa terra assurda dopo quel che hanno narrato i superstiti del *Chandernagore*?».

Ci provarono e riprovarono, i nostri. Poi dovettero

mollare. «Le provviste stavano finendo, la terra era lontana dal produrre del cibo, i membri più deboli del gruppo non ce la facevano. Al mattino bevevano un caffè annacquato, a pranzo un po' di carne con un po' di riso e un bicchiere di vino, la sera una specie di zuppa di fagioli» spiega la Thompson.

Da novembre alla fine di dicembre ne morirono altri 6. Bambini come Domenico Gava, Agostino Pellizzer o Vincenzo Bertoldo. Vecchi come Matteo Bordet, che aveva quasi 80 anni. Quando arrivarono i monsoni la situazione era ormai disperata. Ogni giorno nel minuscolo cimitero veniva piantata una nuova croce: per Maria Melarè, 32 anni, Emilio Bertoli, 36, Maria Antonioli, 32, Antonia Pellizzer, 35, Maria Pellizzer, un anno, Giovanni Roder, 76, Caterina Bazzò, 9, Francesco Barberetto, 69...

A metà febbraio, prima di morire tutti, i superstiti si decisero infine a presentare una petizione al capitano dell'*India* Leroy, che per tutto quel tempo, grazie a Dio, era rimasto alla fonda: «Noi sfortunati italiani sempre obbedienti agli ordini dell'amministrazione sopportando tutte le fatiche e le miserie, trovandoci noi stessi in una condizione critica per la necessità di provvigioni e vedendo le vittime che cadono giorno per giorno, facciamo appello alla sua umanità e chiediamo che lei ci porti a Sydney dove gli altri vapori sono già andati e dove il capo della colonia risiede».

Leroy rispose che era molto meglio arrivare alla colonia francese più vicina, in Nuova Caledonia. Ma ormai i trevisani non volevano più saperne, di altre incognite. Volevano Sydney, Sydney, Sydney.

Finché, finalmente, il 20 febbraio, dopo aver seppellito anche Lucia Spinazè, Angelo Giulan, Pio Bellotto e per ultimo Giacomo Roder, la nave salpò verso la Nuova Caledonia. Il viaggio fu un incubo. Guasti meccanici. Penuria di acqua e cibo. Un naufragio evitato di un soffio sulle barriere coralline solo grazie all'allarme dato all'ultimo istante da Angelo Roder. In 18 interminabili giorni morirono ancora un Girolamo Tomè che doveva essere parente e omonimo di uno dei capi della spedizione, Emilia Bertolli, Maria Giabretti, Giuseppe Brican, Battista Massari, Santo Bertoli...

I sopravvissuti all'odissea arrivarono a Noumea in condizioni disperate. Gli abitanti del posto, raggelati dai racconti del calvario, furono generosi. Offrirono ai poveretti case e verdure e latte fresco per i bambini. Ma i nostri non vollero lasciare la nave: la Nuova Caledonia era una colonia penale, Noumea pareva una caserma e loro avevano un solo obiettivo: Sydney, Sydney, Sydney.

Il console australiano, mosso a pietà, girò la richiesta alle autorità del New South Wales, considerando i trevisani alla stregua di naufraghi. L'*India* fu sequestrata e messa all'asta. Una parte del ricavato servì a pagare il passaggio dei superstiti sul *James Patterson*, un vecchio e acciaccato vapore australiano che era lì ormeggiato, verso l'agognata Sydney. In una quindicina dissero di no: non sarebbero mai più saliti su una nave. Mai più. Meglio restare lì. C'era tra loro un certo Maffoni, che in Nuova Caledonia aveva visto morire i due figli. Seppelliti, racconta la Thompson, insieme con le ultime vittime della folle spedizione, Giovanna Moras, Luigi Bertoli, Rosa Bertoli e poi Caterina Cappellini, morta di parto, e Albina Oneda che aveva solo 2 anni e Ludovico Bertolo che aveva 14 mesi ed era miracolosamente riuscito a sopravvivere fin quasi alla fine dell'odissea. Erano arrivati alla penultima tappa di quella tragica crociera ormai irrimediabilmente minati nella salute. Della loro vicenda resterà memoria in *Port Tarascon*, uno dei romanzi di Alphonse Daudet.

A salpare verso l'Australia, quel 2 aprile, furono in 217. Arrivarono 5 giorni dopo. Il cronista del «Sydney Morning Herald», salito a bordo, tracciò dei nostri nonni un ritratto collettivo da gelare il sangue: «Tra i ponti della nave, che è un rottame, varie donne giacciono moribonde, divorate dalla febbre. Due di esse sono giovanissime, tra i 18 e i 20 anni. Una mi ha mostrato un bimbo in fasce che era un piccolo scheletro vivente, sul punto di irrigidirsi nella morte. Su un altro ponte, dove un'altra donna rantolava nell'agonia, m'è stato spinto fra le braccia un fagotto. A giudicare dalla sua dimensione e forma – gambe e braccia fasciate come una mummia – ho pensato che si trattasse di una tipica bambola italiana di legno e stracci. Ma un movimento improvviso della testa mi ha fatto sobbalzare e ho sentito in gola i palpiti del cuore, allo scoprire che in realtà si trattava di una creatura vivente; forse nata appena alcuni giorni prima. Quando sorreggevo il fagotto sul mio braccio destro piegato, con la testolina sul gomito, i piedi non raggiungevano neppure la punta delle mie dita. Il suo peso, con tutte le fasce addosso, non superava le 5 libbre. Ho chiesto la sua età e mi è stato rivelato che ha compiuto 7 mesi.

«La madre indicandomi il suo corpo scheletrico mi ha fatto capire che non poteva allattare il bimbo. [...] La morte falcia ogni giorno questi sventurati. Contemplare, su questa nave maledetta, la foresta di mani tese per un pezzo di pane o di dolce distribuito ai più piccoli; vedere lo sguardo di gratitudine dei genitori; sentire risuonare dovunque "Grazie, signore" nel dolce accento italiano; sentirsi la mano che porge un dono afferrata da un vecchio tremante; sentirsi baciata la mano per un pacchetto di tè porto a una donna abbandonata su un giaciglio infestato da cimici e pulci; vedere brillare di gioia gli smunti visi dei bambini italiani ai quali sono stati distribuiti alcuni pasticcini; scendere dalla nave accompagnati da un coro di "grazie" e "arrivederci", tutto ciò crea una terribile impressione che non potrò cancellare mai più per il resto della mia vita, una scena che spezza il cuore».

Di certo non si spezzò il cuore delle autorità australiane. Che prima di lasciar sbarcare quei poveretti nella loro bella Sydney che stava conoscendo il suo boom economico, come racconta nel libro *Non siamo arrivati ieri* il sacerdote e storico Tito Cecilia, imposero loro di «firmare il seguente documento, il cui significato fu loro spiegato dall'agente consolare italiano di Sydney, il dottor Marano: "Noi, sottoscritti migranti italiani, partiti sotto il patrocinio del marchese de Rays, e qui appena giunti da Noumea, Nuova Caledonia, con il *James Patterson*, trovandoci senza alloggio e mezzi, chiediamo al governo di ripararci e vestirci per un breve periodo, e di assisterci a trovar lavoro. Ci impegniamo a sottostare interamente alle leggi dello Stato del Nuovo Galles del Sud e alle norme disposte dal Governo"».

Interrogato dalla polizia, Girolamo Tomè dichiarò: «Ero un agricoltore o contadino, lavoravo ovunque potessi trovare lavoro; avevo una proprietà di qualcosa come 4 acri di terra e coltivavo la vite ed anche il grano ed il mais, ma le tasse governative erano così pesanti ed i cattivi raccolti fecero sì che non potessi procurarmi il necessario per vivere e non vedessi una soluzione alla situazione, così vendetti la mia proprietà o piuttosto mio fratello mi anticipò 800 franchi cioè 32 sterline per essa».

Raccontate a ciglio asciutto tutte le sventure di quel viaggio spaventoso, il trevisano spiegò a nome di tutti: «Ci piacerebbe formare noi stessi un paese, una colonia italiana, siamo tutti viticoltori ed io so fare il vino [...] Non desidero tornare in Italia. Voglio stare in New South Wales e gli altri emigranti anche. Non ho nessuna lamentela da fare contro il marchese de Rays. Penso che la colpa sia della cattiva amministrazione e che il marchese stesso sia stato ingannato».

La situazione, spiega Gabriella Dondi, «era simile a quella della maggior parte degli altri emigranti, ma i loro desideri evidentemente non corrispondevano a quelli del governo del New South Wales. Infatti Sir Henry Parkes, il primo ministro della colonia, nel suo indirizzo agli emigranti italiani, conferma la posizione presa dal governatore del New South Wales: "Gli usi di questo paese ed altre circostanze rendono anche indesiderabile, in verità quasi impossibile, per essi di sistemarsi insieme in un solo luogo [...] Hanno bisogno per il loro benessere di conoscere gli inglesi [...] e dopo un anno o più avranno le stesse possibilità degli inglesi"».

Fu così che, sopravvissuti a quell'avventura durata 368 giorni, distrutti dalla fatica, straziati dalla perdita di mogli, mariti, padri, bambini, i poveretti che finalmente si erano illusi di poter tornare a vivere qualche spicchio di normalità, si ritrovarono a essere separati l'uno dall'altro e sparpagliati uno qua e uno là perché imparassero subito l'inglese e non formassero «una colonia dentro la colonia». «Benché gli amici e le famiglie avranno da separarsi» spiegava con ottusa e burocratica gentilezza l'ordinanza «saranno sempre nel circondario della posta e del telegrafo, e non si potranno mai trovare nelle privazioni e nella miseria per questa causa e facendo così non fanno altro che ciò che fanno anche i nostri propri compatrioti nel loro arrivo dall'Inghilterra. Il governo desidera che sia chiaramente inteso che gl'Italiani sono adesso e saranno sempre liberi di adottare il modo di vivere che gli pare a secondo del loro interesse, dopo aver soddisfatto il presente impegno nel quale sono per entrare.»

Durò un anno, quel supplemento di calvario. Mese dopo mese, giorno dopo giorno, ora dopo ora, tuttavia, arrivò anche la fine di quella specie di galera linguistica. E i Tomè, i Bortoli, i Roder, i Pellizzer e tutti gli altri finalmente si ricongiunsero. Trovarono della terra nei dintorni di Lismore, verso Brisbane. La comprarono, la disboscarono, tirarono su un villaggio, ci portarono le famiglie, piantarono le vigne dei loro paesi, il cabernet, il merlot... Era il «loro» paese. Il «loro» pezzo di paradiso. Lo chiamarono Cea Venessia. Piccola Venezia. O meglio, poiché «Venezia» era allora la parte per il tutto (non per altro si parlava di Tre Venezie), diremmo oggi Piccolo Veneto. Resistette pochi anni, quel nome dolcissimo gonfio di nostalgia.

Poi l'Australia, che al censimento del 1891 aveva contato 3890 italiani per il 67 per cento veneti ma era già preoccupata per l'inquinamento della «pura» razza anglosassone minacciata da quella minoranza che rappresentava lo 0,12 per cento della popolazione, stabilì con la legge White Australia Policy, promulgata nel 1901, che l'unica lingua consentita era l'inglese. Senza eccezioni. E ai nostri vecchi, che già avevano visto i Piero diventare «Pit» e gli Antonio diventare «Antony» per non dire della perdita degli accenti nei cognomi come Tomè o Spinazè, venne imposto di cambiare il nome al loro borgo nell'anonimo, ovvio, banale New Italy. Loro piegarono la testa.

L'ultimo a rimanere laggiù, nel paesino via via abbandonato da tutti alla ricerca di terreni meno avari di frutti e di verdure e di frumento, fu il vecchio Giacomo Piccoli. Era un bambino, quando era arrivato in Australia. E passò gli anni del crepuscolo della sua lunghissima vita fino alla fine, nel 1955, tutto solo. Ogni anno, il 7 aprile, nella ricorrenza dell'arrivo a Sydney, piantava un albero. Era rispettosissimo della legge. Dentro di sé, però, continuava a chiamare il villaggio Cea Venessia.

E finalmente, il Nuovo Mondo

«Mi voltai di scatto sobbalzando alla vista di una sopraelevata i cui vagoni sfrecciavano a gran velocità curvando in direzione di South Ferry. Notai con stupore che non ne cadeva neanche uno, ed anche che la gente che camminava lì sotto non si affrettava ad allontanarsi, cosa che invece avrei fatto io. Conversando allegramente tagliammo per un'ampia strada e un improvviso trambusto rimbombò sopra le nostre teste, una vettura si fermò davanti a noi assordandoci, due automobili sfrecciarono via veloci. Un'ennesima vettura stava venendo verso il nostro gruppo. «Ecco il tram» disse il caposquadra, quindi con un sorriso mi spiegò l'origine di tutto quel chiasso. «È solo il treno sopra di noi.» Era come se il mio corpo fosse il binario su cui passava quel treno. Il tram si avvicinò e ci si arrestò davanti riuscendo ad evitarci per un pelo, data la goffaggine con cui ognuno di noi aveva ingombrato la strada con i suoi coloratissimi fagotti.»

L'incanto della scoperta di New York negli occhi di un giovane pastore appenninico: Pascal D'Angelo, autore del libro *Son of Italy*.

APPENDICI

«COME LI SALVO, SENZA MANCO LIMONI?»

Il diario di un medico eroe imbarcato sul Giava

Chiedeva il ghiaccio: non ce n'era più perché l'avevano usato per i cocktail... Chiedeva uova: non ce n'erano più anche se risultava il contrario perché le avevano chieste i signori della prima classe... Chiedeva le medicine che figuravano in carico: non ce n'erano più perché certo, il rifornimento risultava fatto ma... Chiedeva uomini per disinfettare i ponti e le cabine prima che il morbo attaccasse altri passeggeri uccidendo tutti: non ce n'erano perché dovevano pitturare le fiancate...

Il giornale sanitario di Teodoro Ansermini, giunto miracolosamente fino a noi grazie al fatto che qualcuno l'aveva messo nel posto sbagliato finché non fu casualmente trovato dalla persona giusta all'Archivio di Stato, è un documento eccezionale. Pubblicato la prima volta dalla rivista «Affari sociali internazionali» nel 1973, è il diario della disperata battaglia di un medico di bordo torinese per salvare quante più persone possibile su un piroscafo, il Giava, che dopo essere partito da Genova per il Sudamerica l'8 ottobre 1889, sotto il comando di Gaetano Domenico Vernengo, rischiò di venire sconvolto da una serie di epidemie.

Lo scopritore della testimonianza, Mario Missori, spiega nel suo saggio introduttivo che «il viaggio del Giava non fu certo un caso limite. Anche se a bordo si verificarono delle epidemie, che vennero però tenute sotto controllo, si può dire che fu un viaggio relativamente tranquillo» rispetto ad altri di cui abbiamo già scritto. Eppure si tratta di un documento interessantissimo, «sia per la particolareggiata descrizione della situazione igienico-sani-

taria a bordo [...] sia, e soprattutto, per l'atteggiamento assunto, nella circostanza, dalle autorità portuali. Queste ultime, infatti, di fronte alla precisa denuncia del medico sulla grave situazione dei trasporti degli emigranti, invece di proporre al ministero gli opportuni rimedi, si ostinarono a negare o minimizzare i fatti e a dare spiegazioni e giustificazioni poco convincenti».

Fu una battaglia, quella del nostro medico, contro tutto e tutti: la burocrazia più ottusa, le furbizie più irritanti, la sciatteria più scandalosa, le viltà più rivoltanti... Una battaglia su due fronti: da una parte l'assalto di varie infezioni, dall'altra l'egoismo dell'armatore più interessato agli affari, al buon nome, alla sdrammatizzazione della vicenda che non alla salute degli emigranti imbarcati. Una tragedia all'italiana. La cui ricostruzione giorno per giorno, qui ripercorsa nelle linee essenziali comprese alcune osservazioni antipatiche nei confronti degli emigranti siciliani, fa ancora ribollire il sangue a distanza di oltre un secolo. Tanto più che su quel viaggio da incubo, sulla drammatica denuncia del medico, sulle inaccettabili complicità, venne steso un velo di silenzio: «È vero che... però... È vero che... però... È vero che... però...».

8 ottobre 1889 La sera dell'8 ottobre 1889, alle ore 5, si parte da Genova con 763 passeggeri, di cui 5 di prima classe e 758 di terza classe, compresivi 35 bambini, di cui 13 inferiori agli anni 5 [...]. All'atto della partenza mi tocca di subire villanie dal capo ufficio del Plata della Navigazione Generale Italiana, certo signor Brilla, perché io, ossequente ai regolamenti governativi, insistevo per avere copia delle istruzioni e suggerimenti per le disinfezioni a bordo delle navi mercantili, emanate dal ministero della Marina nel febbraio 1889. Privo di detto documento già fin dal passato viaggio, e sapendolo necessario per ottenere pratica al ritorno (non opponendovisi altre ragioni), al momento della consegna di questo registro, richiesi quello, e ripetutamente, anche quando mi si voleva far tacere dicendomi che l'ordinanza sovramenzionata era già a bordo (ciò che non era vero), e che io, pagato dalla Compagnia (a 150 lire al mese), non dovevo creare ostacoli e per questo pochi minuti dopo, a bordo, in mia assenza, e davanti ai passeggeri ed a varii ufficiali, quel capo ufficio stesso, certo non troppo educato, aggiungeva al mio indirizzo anche epiteti che è meglio tacere. Questo scrissi a meglio far comprendere quali siano le condizioni dei medici di bordo, in quale considerazione siano tenuti, e quindi quale possa essere la loro autorità, se li si insulta anche solo quando domandano gli stampati necessari per uniformarsi per quanto è possibile, alle disposizioni emanate dalle autorità sanitarie del Regno.

9 ottobre 1889 [...] Molti passeggeri soffrono per mal di mare [...] non posso più continuare le osservazioni fatte nel passato viaggio, perché all'Amministrazione mi furono negati il vino e l'elisir di china, con cui mi pareva d'aver ottenuto qualche buon risultato.

10 ottobre 1889 Continuando il mare agitato ed il vento in prua, moltissimi passeggeri soffrono il mal di mare, senza però che vi si riscontrino molti casi gravi. Si presentano, per la visita, solo uomini, e tutti siciliani, i quali si mostrano fiacchi e pusillanimi, mentre le loro donne stesse, anche sofferenti, si lagnano meno e si fanno animo per lottare col mare. [...] La salute a bordo può dirsi buona e noto, in genere, che questi emigranti (d'ogni provincia d'Italia) sono, per la maggior parte, nella virilità, robusti, e con morale abbastanza rilevato. [...]

11 ottobre 1889 [...] Entra all'ospedale il passeggero di terza classe Romano Domenico, d'anni 24, per catarro gastrico febbrile con sintomi tifoidei. [...]

12 ottobre 1889 [...] Faccio entrare immediatamente all'ospedale il passeggero di terza classe Antonino Canzonera, d'anni 42, con incipiente eruzione vaiuolosa.

Faccio gettare in mare gli effetti letterecci, che hanno servito a lui nella stiva, e fare grandi lavature al posto da lui occupato, con sublimato corrosivo all'1 per mille. All'ospedale lo isolo completamente nella sezione più appartata, ordinando la disinfezione continua delle sue deiezioni alvine. (Ordino pure la disinfezione delle deiezioni alvine dell'altro ricoverato Romano Domenico.) Proibisco a chiunque l'ingresso all'ospedale, provvedendo in pari tempo ad una attiva sorveglianza sui compatrioti del vaiuoloso e sui suoi vicini di cuccetta. Mi confesso però che sarà difficilissimo evitare lo sviluppo dell'epidemia, stante la infelicissima disposizione dei locali a bordo dei piroscafi. [...]

13 ottobre 1889 Arrivando a Cadice, alle 7 antim., consegno che ho a bordo 2 ammalati, di vaiuolo l'uno e di ileo-tifo l'altro, e domando di poterli sbarcare. Dopo una visita sanitaria di una commissione composta di 4 medici di Cadice (compresovi il capo della sanità del porto), mi si concede pratica, lo sbarco degli ammalati, e l'imbarco di nuovi passeggeri, che ricevo alle 5 pomeridiane, numero di 268, divisi in 111 uomini, 93 donne, e bambini 64, fra cui 16 minori di anni 5. [...] Si parte da Cadice alle 7 di sera, e appena fuori della rada faccio buttare in mare gli effetti letterecci dei due ammalati sbarcati. [...]

14 ottobre 1889 Al mattino, per tempissimo, faccio lavare diligentemente il pavimento, le pareti e le lettiere della sezione d'ospedale occupata dagli ammalati sbarcati; [...] In questo caso debbo dolermi di non avere una provvigione di linfa vaccinica sufficiente per procedere ad una rivaccinazione in massa di tutti i passeggeri ed equipaggio. [...] Constato che, relativamente alla massa di gente che racchiudono, le stive sono assolutamente poco aereate, e rimpiango assai d'esser sprovvisto d'ogni e qualunque apparecchio per fare un qualunque esame dell'aria. [...]

15 ottobre 1889 Si fa la disinfezione nelle stalle e pollai. I buoi, troppo pigiati, esposti a tutte le intemperie, sono sofferenti; se ne abbatte uno che si mostra stanco più degli altri, al doppio scopo e di prevenire una sua malattia e di fare posto ai restanti [...]. I siciliani sono sofferenti, in genere, per gravi indigestioni, perché in tutto il giorno non sanno far altro che cantar nenie e masticare cipolle crude, fagiuoli crudi, castagne secche, ed altre simili porcherie che hanno portato con sé in quantità assai abbondante. [...]

16 ottobre 1889 Nella stiva delle donne la temperatura è, in media, di 26° centig. verso prua, e di 27° centig. verso poppa. Nel corridoio, praticato lateralmente alle caldaie delle macchine (dove ci sono 56 posti), non mi decido, per adesso, a lasciarvi entrare alcuno, perché vi riscontro, fin d'ora ch'è vuoto, una temperatura media di 31° centig. quando fosse abitato. Cerco intanto se è possibile di stabilirvi una corrente d'aria, perché, così com'è oggi, è assolutamente inabitabile. [...]

17 ottobre 1889 La salute generale è buona. Per meglio dar aria alle stive, e praticarvi giornalmente efficace pulizia e disinfezione, provo da oggi, d'accordo col primo ufficiale, a levare le scale durante il giorno, obbligando così i passeggeri, quando è buon tempo, a restare in coperta a respirare aria buona. A questo sono indotto dalla speranza di tenere così sempre più lontano lo sviluppo dell'epidemia che si era manifestata [...].

18 ottobre 1889 [...] Molti sono quelli che ricorrono al medico giornalmente per consulti, in media da 30 a 35, formando dell'ambulatorio un vero policlinico, assai interessante, di cui non si può tenere (come si desidererebbe) esatto conto, perché un solo medico che deve pensare alla salute ed igiene (molto relativa) di 1100 persone, facendo anche da farmacista, infermiere, ecc. ecc., non ha assolutamente il tempo di prendere sufficienti note per fare qualche studio che, ne sono convinto, riuscirebbe assai interessante, specialmente essendo muti tutti gli autori a proposito della terapia in mare. Il panettiere Ricaldone si presenta grave, non potendosi ottenere la riduzione dell'ernia. Debbo forte lamentare di essere assolutamente sprovvisto di tinozze mobili per bagni (altra proposta fatta), che mi tornerebbero assai utili in molti casi, specialmente di pediatria. Nel caso del Ricaldone debbo, per quanto a malincuore, farlo alzare, percorrere il piroscafo in tutta la sua lunghezza facendolo venire fino a poppa, dove sono i bagni fissi di prima classe, per potergli dare un bagno caldo prolungato. [...] Noto, come già nel passato viaggio, moltissimi disturbi gastrici [...].

19 ottobre 1889 Sono contentissimo della decisione presa di far levare, lungo il giorno, le scale di discesa nelle stive dove l'aria si conserva ora migliore per la notte, e si può fare una migliore disinfezione. Di più, molte donne anemiche e sofferenti prima, ora stanno meglio e si mostrano meno prostrate. Dacché si adoperano, nella cucina di prima classe, i piatti di terra, sono cessati i dolori intestinali. [...]

20 ottobre 1889 Si è fermi a San Vincenzo per fare provvista di carbone. Varii passeggeri vorrebbero che in tutte e tre le distribuzioni del rancio venisse loro dato il pane, che si distribuisce solo due volte al giorno, dandosi al mattino ottima galletta: non lo si può concedere, perché il forno di bordo è troppo piccolo per cuocere bene la quantità di pane necessaria per farne tre distribuzioni a 1100 persone; amo meglio si distribuisca due sole volte pane ben cotto, piuttosto che per tre volte pane indigesto. [...] Ricovero all'ospedale la bambina Fernandez Isabel, d'anni 9 da Paterna (Cadiz), per angina sospetta ne' suoi sintomi [...]. Visito anche [...] il bambino Sardi Giuseppe, d'anni 4, da Canelli, per varie contusioni, leggere però, prodottesi cadendo dalla cuccetta mentre dormiva (dall'altezza di circa metri 2,5).

21 ottobre 1889 [...] Moltissimi, bambini e adulti, sono veramente coperti, per tutto il corpo, dall'eritema solare, la cui eruzione fu forse attivata ieri dalla irritazione cutanea prodotta dalla polvere del carbone. La bambina Isabel Fernandez, ricoverata ieri all'ospedale, è affetta da angina difterica. [...] Partiti da San Vincenzo alle 12,15 di notte. [...]

22 ottobre 1889 [...] Entrano all'ospedale di bordo i passeggeri di terza classe Balerin Santo per risipola facciale e Sancie Enrique per ileo-tifo. Visito [...] più, quasi tutti quelli visitati nei giorni passati, di modo che la cifra degli individui da visitare sale spaventosamente ed il lavoro è enorme, atteso specialmente il molto tempo che portano via le varie medicazioni e la preparazione dei rimedii. Alle 6,20 pomeridiane ricovero allo ospedale il bambino Marin Francesco, d'anni 7, da Alcalà (Cadiz) per commozione cerebrale consecutiva a caduta da una scala, battendo del capo su varii gradini. [...]

23 ottobre 1889 Si fa la disinfezione della stiva delle donne, dove è difficilissimo mantenere la pulizia, a cagione dei molti bambini che vi stanno: però, dacché lavando le scale al mattino nessuno più vi scende fino a sera (tranne in caso di pioggia) si ottiene assai relativamente, già s'intende. [...] Alle 8,55 pomeridiane muore la bambina Isabel Fernandez, di anni 9, affetta da difterite. Faccio immediatamente chiudere la sezione d'ospedale in cui era ricoverata, e fare profumi con cloruro di calce ed acido fenico; non permetto che si esporti da detta sezione alcun oggetto di biancheria, abiti od altro; faccio gettare in mare il materasso ed i guanciali [...]

24 ottobre 1889 Alle 4 antimeridiane, lanciato in mare il cadavere della bambina deceduta ieri sera, faccio lavare con una soluzione di sublimato corrosivo al 2 per mille le pareti e gli effetti letterecci dell'ospedale, poi faccio chiudere ermeticamente; faccio ripetere la lavatura, molto abbondante, alle 8 antim., per poi fare i suffiminici con zolfo. Sorveglio attentamente la famiglia della piccola morta, composta di padre, madre e due altri bambini. Pel cattivo tempo di questi giorni gli ammalati sono di molto aumentati, ed ai consulti se ne presentano ora, in media, una cinquantina al giorno. La fatica è veramente stragrande, e non so come potrebbe fare, con tutti i gravi casi di questo viaggio, un medico che avesse poca salute o che soffrisse pel mal di mare. [...] L'aumento straordinario degli ammalati lo attribuisco sia al tempo umido che al calore immenso che v'ha nelle stive. [...]

25 ottobre 1889 Faccio fare una pulizia straordinaria in tutto l'ospedale, facendovi poi dei profumi con cloruro di calce ed acido fenico. In genere, questi spagnuoli si mostrano veramente troppo sudici, e con le lordure ed immondizie loro, nonostante la continua ed attiva sorveglianza esercitata dagli uomini di servizio, appestano le stive in modo che l'aria vi diventa assolutamente irrespirabile specialmente attesa la mancanza di ventilazione, per cui al mattino è raro trovare un individuo che non si lagni di cefalea. Stupisce veramente che coi progressi dell'igiene, non si pensi ad applicare sui vapori qualcuno dei tanti sistemi di ventilazione. Capisco che questo avvenga perché, in genere, i medici di bordo fanno un viaggio solo, o due al più, e, quasi sempre soffrendo essi stessi il mare, e sopraffatti dal lavoro, abbandonano sdegnati questa carriera, senza curarsi di trasmettere le proprie osservazioni. È necessario fare alcuni viaggi con un migliaio e più di persone a bordo, per constatare la grande mancanza e dei mezzi e delle leggi. Francamente dichiaro che sono seriamente impensierito delle condizioni nostre, quando penso ai varii casi gravissimi avuti (vaiuolo, tifo, difterite) ed alla mancanza di personale pratico, di mezzi terapeutici, di spazio, di aria, di acqua (per quanto in mezzo all'oceano). Qui, in mezzo all'oceano, con mille persone imbarcate d'ogni età e condizione, dopo una visita sanitaria almeno ridicola, e quindi con tutta la probabilità (come avviene nella maggior parte dei casi) di sviluppo di una infinità di malattie, manca tutto: dal medico, perché sovente è sofferente, all'infermiere, dalla previdenza, ai mezzi terapeutici. [...]

26 ottobre 1889 [...] Nella notte l'aria nelle stive, oltre d'essere corrotta e veramente irrespirabile, sale alla temperatura media di 32°-33° centig., per cui bisogna permettere necessariamente che alcuno salga in coperta a respirare un po' d'aria buona, anche se, col rapido raffreddamento, va incontro ad un male che, per quanto possa essere leggero, è però quasi certo. E così mi spiego la quantità stragrande di mali da causa reumatizzante. [...]

27 ottobre 1889 Constatando dei sintomi tifoidei in molti passeggeri che si presentano ai consulti, e specialmente in quelli della stiva uomini di poppa (posta sotto quella delle donne) si provvede, col Comandante, a migliorare, se possibile, la aereazione di detta stiva. Si dispone pure perché, alle ore 8 antim., si faccia una speciale distribuzione di caffè e latte pei bambini. [...]

28 ottobre 1889 Alle 3,40 antim. si ferma la macchina per avaria all'asse. [...] Entrano all'ospedale: Signorino Giovanni, Haen Philippe, sospetti di malattie d'infezione. Ordino si buttino in mare le coperte ed i pagliericci di questi ammalati, e di quegli individui che, nella stiva, dormivano accanto a loro. Proibisco l'accesso all'ospedale di chiunque non v'abbia qualche attribuzione. Faccio tenere preparata, ben pulita e disinfettata, la quarta sezione dell'ospedale, di cui fin'ora non mi sono servito. Faccio pratiche perché, alla sera, sia prolungata l'ora della discesa nelle stive. [...]

29 ottobre 1889 Il lavoro cresce straordinariamente: sono più che 50 al giorno, senza contare gli ammalati ri-

coverati all'ospedale, quelli che devo visitare e provvedere di rimedi; e la fatica è improba, specialmente coi calori di queste regioni; sarebbe più che necessario almeno
un aiuto infermiere. [...]

30 ottobre 1889 Mi lagno forte perché il vapore,
troppo sbandato sul fianco sinistro, è causa di varii in-
convenienti abbastanza gravi: prima di tutto i passeggeri
scivolano maledettamente, cadono e si feriscono più o
meno gravemente; poi, colle malattie d'infezione che già
vi sono a bordo, non si può tollerare che le orine,
uscendo dalle stalle, allaghino la coperta di prua, man-
dando coi calori del giorno, delle esalazioni ammoniacali
fortissime, tutt'altro che igieniche, specialmente coll'agglomeramento di tante persone [...].

31 ottobre 1889 [...] Molti mali di gola e dolori reu-
matici. [...] Se si vuole dare al medico di bordo una certa
responsabilità nei casi di epidemia, bisogna assolutamente che gli sia data anche l'autorità di fare eseguire
quanto necessario per l'igiene a bordo: non ho ancora
potuto ottenere, tranne che per una sera, che sia prolungata la permanenza dei passeggeri in coperta, cosa questa di vera necessità per tentare di mettere un argine alle
invadenti due epidemie di tifo e di vaiuolo, perché le
stive non sono sufficientemente aereate, e la poca aria
che vi ha, già malsana, si riscalda tanto e decompone,
fino a divenire irrespirabile. [...]

1° novembre 1889 Ieri sera, un'ora dopo la discesa
dei passeggeri, presi la temperatura nelle due stive di
poppa, e trovai che era di 27° centig. per quella delle
donne, e di 29° centig. per quella degli uomini, sottopo-
sta alla prima. Quattro ore dopo, cioè alle 2 di notte, trovai che nella prima la temperatura era cresciuta fino a
29° centig., e nella seconda era arrivata a 30,7° centig.,
mentre la temperatura in coperta era di 23° centig. Si ha
quindi nella notte uno squilibrio fortissimo nella tempe-

ratura fra le stive e l'esterno, che va a danno totale di quelli che vengono all'aperto per qualsiasi motivo. [...]

2 novembre 1889 [...] Mi si è data, dall'autorità marittima di Genova, una carta in cui sono scritte le quantità delle varie derrate alimentari che sarebbero a mia disposizione per gli ammalati: fra le altre cose, vi trovo pure segnate mille uova. Or bene, fin qui, a metter molto, ne avrò usate un centinaio: stamane sono stato avvisato dal maestro di casa di non fare più buoni per uova, perché non ce n'è più. Ora, se queste uova siano o no venute a bordo, o dove siano andate, non lo so, né ho diritto di saperlo: è certo però che con 2 ammalati di vaiuolo e 3 di tifo sono senza uova a bordo, e dovrò dare agli infermi o semplicemente del brodo, oppure pollo e carne grassa di bue. A che mi serve il foglio datomi dalla Capitaneria del Porto?... Ed il fatto, non è nuovo: nel passato viaggio, un bel dì mi sono sentito dire che, d'allora in poi, avrei dovuto fare senza vino Marsala, perché non ve n'era più. [...] ho la soddisfazione d'avere, invece delle uova, un pezzo di carta scritta, con tanto di bollo e di firme e che, fatto vedere agli ufficiali di bordo, ha la virtù di farli ridere della mia ingenuità. [...]

3 novembre 1889 Ho finalmente ottenuto che la gente non sia obbligata a scendere nelle stive prima delle 9,30 di sera. La cifra degli ammalati che si presentano per consulti è diminuita, e da 60-65 al giorno è scesa a 48-50. [...]

6 novembre 1889 [...] A bordo, il commissario è autorizzato a vendere, per conto dell'Armatore e contro pagamento, varie derrate alimentari, bevande, ecc.: ma, se io medico ho in cura un ammalato per disturbi gastrici, per esempio, e gli do rimedii e gli regolo convenientemente la dieta, come posso ottenere che questi s'attenga alle prescrizioni, quando, pagando, può ottenere buoni per vino o vettovaglie che meglio appetisce?

Non si potrebbe ovviare a questo guaio?... Mi pare che sì. Specialmente che c'è un'aggravante: i Commissarii, per acquistar benemerenze presso l'Armatore, cercano di vendere quanto più possono (anche di certe provviste limitate), e di più soventi, anzi sempre, le prime derrate ad essere spacciate sono quelle che hanno sofferto, e che non sono più presentabili ai passeggeri di prima classe; cosa questa proibitissima su qualunque mercatuzzo del nostro Regno. [...] Si arriva a Montevideo alle 5 pomer., e non ci si dà pratica: ci è ordinato di andare a depositare all'isola Flores i passeggeri diretti a Montevideo. [...]

7 novembre 1889 Alle 6 antim. si è all'isola Flores, dove si sbarcano 54 passeggeri, che devono rimanervi per 48 ore in osservazione. Li accompagno a terra colle lance del piroscafo, e ne approfitto per visitare il lazzaretto, che è molto ben disposto, semplice, pulito, con dei potentissimi apparecchi per praticare le disinfezioni col vapore acqueo fino a 132°. Ritornando a bordo alle 9 antim., sono dolorosamente colpito da un altro fatto, che indica sempre più quale sia l'autorità del medico a bordo. [...] alle 11,30 antim. sono d'urgenza chiamato a soccorrere un'ammalata per broncorragia grave: mando a cercare ghiaccio... Non ve n'è più. E delle 5 tonnellate di ghiaccio che erano a mia disposizione, che se ne è fatto?... E dei 50 polli che è stato?... Eh!?!...

8 novembre 1889 Si arriva a Buenos Ayres alle 12,30 pomer., e siamo tenuti in osservazione per 24 ore. Ieri ho potuto ottenere dal Comandante di far portare a bordo polli, uova e ghiaccio, ma ne venne una quantità piccolissima, sicché oggi si è nuovamente senza ghiaccio. [...]

9 novembre 1889 Il freddo continua a farsi sentire pungente, specialmente al mattino ed alla sera. Si ha pratica alle 10 antim. circa, e si incomincia tosto a sbarcare i passeggeri. [...] Reclamo insistentemente ghiaccio per i miei ammalati, e non ne posso avere. [...]

10 novembre 1889 Continuo a restare a bordo, perché non mi fido a scendere prima d'avere presenziato la disinfezione dell'ospedale e delle stive, che intendo sia fatta accuratamente. Sono certo che, se scendo, o non è fatto od è fatto male. [...]

11 novembre 1889 Con ammalati gravi quali ho a bordo (ernia irridotta minacciante peritonite, insufficienza mitrale, broncorragia), da 4 giorni che si è in rada fermi, non ho ancora potuto ottenere che mi si mandi del ghiaccio. Declino quindi ogni responsabilità per le possibili e probabili complicazioni. S'aggiunge che, dopo quanto ho detto e fatto nei giorni passati, oggi siamo nuovamente senza uova, e non so come nutrire i miei ammalati. [...]

12 novembre 1889 Alle 4,30 antim. muore il bambino José Dequada Lutiene, di un anno, per tubercolosi intestinale: da vari giorni deperiva sensibilmente; [...] Ieri mancavano le uova, oggi mancano i polli. Finalmente, dopo 5 giorni, stamane fu portato a bordo un po' di ghiaccio. [...]

13 novembre 1889 Finalmente oggi, 6 giorni dopo l'arrivo, sono stati sbarcati i passeggeri spagnuoli. Ordino, e faccio eseguire, la pulizia dell'ospedale e disinfezione [...] di tutte le cuccette in ferro (che sono la metà), e poi 2 lavature (a 4 ore l'una dall'altra) del suolo, soffitto, pareti ed effetti letterecci. [...]

14 novembre 1889 Solo oggi all'1 pom. dopo 57 ore dal decesso fu portato via il cadaverino del bambino morto il mattino del 12 corrente: fortuna che non era il cadavere d'un adulto, ché in questo caso non so come si sarebbe potuto ovviare alle esalazioni cadaveriche, perché funge da camera mortuaria una lancia che è esposta al sole dal suo primo sorgere al cadere. Non scendendo a terra oggi ho fatto la domanda di rifacimento di medicinali che necessitano pel viaggio di ritorno, specialmente sapendo che si dovranno toccare Santos e Rio de Janeiro. [...] Venne da terra l'ordine di disfare un grandissimo numero di cuccette al più presto, per caricare la merce sovrabbondante: e va benissimo. Il guaio è che così, dopo tante malattie epidemico-contagiose avute a bordo (vaiuolo, tifo, difteria, morbillo) non si possono più fare le disinfezioni, e la merce sarà stivata nei locali già abitati dai passeggeri per un mese, non solo senza disinfezione anche coi soli suffumigi, ma con sottostrato di materassi e cuscini non portati neanche in coperta a pigliar aria. E poi, chiuse ben bene le stive, dopo un mese di viaggio, arrivando a Genova questa merce sarà senz'altro sbarcata, e mandata in giro a spandere infezioni, di cui non si saprà poi trovare il punto di partenza. [...] a bordo tutta la cura è rivolta a dare pittura sotto, e sopra, e all'ingiro dappertutto dove può arrivare l'occhio di chi vede da terra, o, salendovi, vi fa una passeggiatina in coperta (come generalmente usano le varie autorità). Se poi dentro il vapore è sporco e non aereato, se non vi si fanno disinfezioni, se la stiva dei marinai, a prua, è un vero immondezzaio, se le latrine sono mal tenute e raramente disinfettate, non conta: perché arrivando il piroscafo faccia bella figura, e paia dipinto il giorno prima. Nessun ammalato nuovo.

18 novembre 1889 [...] Ricevo i medicinali di cui avevo fatto richiesta. Oggi fa nuovamente freddo. Soffiò impetuoso il vento tutto il giorno [...]. Alle 10 pomer. si parte per Montevideo, incominciando così il viaggio di ritorno a Genova. [...] avendo a bordo 12 passeggeri, fra cui un bambino minore di 5 anni, 8 uomini e 3 donne; di questi un solo passeggero è di classe. Soffia un vento fortissimo da Est e fa piuttosto freddo.

19 novembre 1889 Si arriva a Montevideo alle 11,30 antim. e si caricano altri buoi, più 59 individui, di cui 2 di classe; fra questi vi sono 47 uomini, 5 donne e 7 bambini. Sono spiacentissimo di un fatto: essendo state occupate tutte le stive del piroscafo con merci, e non essendovi posto disponibile pei passeggeri imbarcati, si occupano due delle sezioni dell'ospedale. [...] non resta a me disponibile, per uso ospedale, che una sola sezione, in cui già vi sono varii ammalati per fortuna non gravi... E se si ammalasse qualche donna? [...] E se per caso si manifestasse una qualche malattia d'infezione?!?! [...]

20 novembre 1889 Si parte da Montevideo, diretti a Santos, alle 8 antim. [...] le stive di bassa prua, così dette, dove stanno i marinai, fuochisti e carbonai, sono mal tenute, lasciate indecentemente sporche; non v'è aria, non v'è luce, vi sono in troppi: almeno vi si mantenga la pulizia. Stamane volli penetrarvi: potevo a stento reggermi in piedi, tanto scivolavo sul sudiciume; ordinai di raschiare quel tavolato e di fare pulizia, ma dal nostromo, cui mi ero diretto, mi fu risposto che senza ordini dei superiori non poteva fare quello che io desideravo. Avendo fatto reclamo per questo, mi si disse che questa pulizia straordinaria che io volevo, si sarebbe veduto modo di farla per l'arrivo in Genova, perché ora i marinai sono tutti occupati nel raschiare la vernice esterna della casetta di prima classe (che poi debbono riverniciare), e quindi dovranno dare la pittura a tutto il piroscafo. E in quanto poi al rifiuto del nostromo mi si disse aver ragione lui, perché per quanto io abbia in testa un berretto con tre galloni argentati sormontati dallo stemma del NGI con la croce rossa, pur tuttavia io non sono ufficiale di bordo, e quindi non solo non posso dare ordini ad alcuno, ma non posso e non debbo andare a vedere se le stive dei marinai e dei passeggeri, e le cabine, ecc. ecc. sono tenute in stato igienico o meno, perché questa è attribuzione degli ufficiali di coperta, i quali rispondono al Comandante della pulizia del piroscafo; se poi, per caso, vedo sporco in qualche sito, potrò rivolgermi a detti ufficiali, i quali vedranno se sia o no il caso di provvedere, e se si daranno gli ordini che del caso [...].

22 novembre 1889 Alla visita di stamane degli ammalati ricoverati all'ospedale, noto sulla faccia e sul petto del giovanotto di 2ª Chiappori Antonio un principio di eruzione che ritengo di vaiuolo. Ricorro al Comandante perché mi faccia lasciare libera almeno un'altra sezione dell'ospedale per trasportarvi gli ammalati, lasciando al suo posto questo vaiuoloso; si fa sloggiare il personale di famiglia; [...]. Si è così verificato il fatto da me previsto e temuto [...].

23 novembre 1889 In seguito al caso di vaiuolo verificatosi ieri tra i marinai, ottengo che oggi si faccia nella stiva, così detta di bassa prua, un po' di pulizia. In seguito vi praticai dei suffumigi collo zolfo, che però ritengo insufficienti, e pel modo con cui furono fatti, e per la loro durata. I marinai sono pochi (16 in tutto tra adulti e giovanotti), per un piroscafo grande come questo: se qualcuno s'ammala, se vi è da fare un qualche lavoro straordinario, non si sa più dove trovare gli uomini necessarii. Così ora, che sono fuori servizio 6 individui, restano in 10 a montare le guardie e fare vedetta, a guidare il timone, a fare il lavaggio, pulire le coperte, e manovrare i pennoni, le vele, ecc., e quindi neanch'io posso avere un uomo addetto al servizio dell'ospedale; [...] Perché non si obbligano gli armatori a tenere a bordo un maggior numero d'uomini pel servizio di coperta? Ho visto, a Buenos Ayres, arrivare un vapore italiano con 1600 passeggeri, che aveva 7 marinai: e non dico in che stato indecente fosse la coperta (e peggio le stive) di detto vapore!!! A segno, che mandava in giro tale odore pestilenziale, essendo ancorato, che i comandanti dei vaporetti della rada non vi si volevano attraccare per esportarne gli emigrati, perché dicevano non poter resistere alle emanazioni di quell'immondezzaio natante. Non basta vederli arrivare, e magari anche, e più ancora, necessita sorvegliarli durante il viaggio: allora solamente si scoprono vere nefandità. Ed il male, ad onor del vero, è proprio di ogni piroscafo, dal più al meno, e non solo italiano, ma di qualunque bandiera: i Congressi internazionali d'igiene dovrebbero un po' occuparsi di questo sconcio, che costa la vita a tante persone, che trovano la loro tomba nella profondità delle onde dell'Oceano, o finiscono poi tristemente i loro giorni negli ospedali stranieri o coloniali in cui devono cercar rifugio, privi di mezzi e di salute, appena sbarcati. [...]

24 novembre 1889 Molti uomini d'equipaggio si lagnano di cefalea, spossatezza, inappetenza, malessere generale: temo lo sviluppo di qualche epidemia. [...]

25 novembre 1889 Si arriva a Santos, e si ha pratica, alle 7 antim., e vi si sbarcano subito 19 passeggeri. Constato, fra gli ammalati dell'ospedale, altri 3 casi di malattia d'infezione (1 di morbillo, 1 di vaiuoloide, 1 di tifo esantematico). Ripeto che le nostre condizioni igieniche sono pessime. Il barometro segna 29,3 ed il termometro 26° centig. Lungo il giorno, ed anche per tutta la notte (cosa molto mal fatta, in queste terre, specialmente col male che serpe nell'equipaggio), si lavora a scaricare merce: fieno e granone. Oggi gli ammalati dell'ospedale (e sono 8, fra cui 5 assai gravi) rimasero per tutto il giorno senza infermiere, non v'ha un piantone fisso, ed il capitan d'armi, che si dice essere a disposizione del medico, ha dovuto drizzare le cuccette abbattute a Buenos Ayres per far posto alla merce. E così [...] un vaiuoloso poté alzarsi e venire in coperta. Di più, siccome uno degli ammalati di vaiuolo teneva abusivamente (prima d'entrare all'ospedale) due materassi di prima classe, li feci ritirare, con intenzione di buttarli in mare nella notte, perché non servissero a diffondere l'infezione: nel pomeriggio, senza nulla dirmi, sono stati presi detti materassi e portati in una delle cabine per bagni, deponendoli nella tinozza di marmo.

26 novembre 1889 L'afa è straordinaria: grande spossamento e nei passeggeri e nell'equipaggio. I passeggeri che si imbarcano arrivano alla spicciolata, rendendo impossibile una visita sanitaria qualunque, che sarebbe d'altronde ridicola, dal momento che si imbarca, senza una disinfezione qualunque, ogni genere di sacchi, casse, ecc. sotto forma di bagaglio. I passeggeri sono tutti, meno 3 o 4, italiani che rimpatriano, e portano sul viso l'impronta di lunghe sofferenze contro il clima e contro gli ospiti loro. [...] Alle 5 pomer. si salpa per Rio de Janeiro, avendo imbarcati 211 passeggeri, fra cui 26 di classe: vi sono 151 uomini, 39 donne e 21 bambini. [...]

27 novembre 1889 La mancanza di uomini di equipaggio si fa sentire fortemente, specialmente ora che si ha nuovamente a bordo un discreto numero di passeggeri. La coperta (anche a poppa, con tanti passeggeri di classe) è lasciata sporca nelle stive, non vi sono piantoni per la pulizia; per l'ospedale ho finalmente ottenuto un piantone per qualche giorno, ma ora uno è insufficiente perché o prodiga le sue cure a tutti i ricoverati, ed allora di quando in quando deve abbandonare l'affetto di tifo petecchiale, il quale (in delirio) s'alza dal letto e vuole uscire, oppure sta continuamente presso quest'infermo, e allora tutti gli altri mancano d'infermiere. Altro che isolamento e infermieri pei soli affetti da malattie comunicabili!!! Un solo infermiere per 8 ammalati, di cui 2 con vaiuolo, 1 con morbillo, ed 1 con tifo esantematico, e quest'infermiere deve anche venire in coperta a prendere e i brodi, e le minestrine, ed i rimedii, ecc. ecc. Povera profilassi!!! [...]

28 novembre 1889 Sbarcano a Rio de Janeiro 43 passeggeri, e se ne imbarcano 101 così divisi: uomini 83, donne 7, bambini 11; 3 dei passeggeri sono di classe. Alle 4 pomer. si parte per S. Vincenzo, [...]. Alle 7 pomer., essendo in settimo giorno di malattia, muore il primo cambusiere Ratti Placido, d'anni 42, affetto da tifo esantematico o petecchiale. [...] Appena morto, faccio gettare sul pavimento della sezione una abbondante quantità di acqua fenicata e cloruro di calce, e poi chiudere a chiave.

29 novembre 1889 Dispongo tutto per far gettare in mare il cadavere nella notte stessa, e d'accordo col Comandante, dopo una conveniente preparazione lo si lancia all'acqua all'1 antim. del 29 novembre 1889. Immediatamente dopo il cadavere, faccio buttare in mare tutte le suppellettili della sezione (coperte, materassi, cuscini, lenzuola, sgabelli, ecc., ecc.), e poi chiudere ermeticamente e praticarvi abbondanti suffumigi con zolfo. Tengo chiuso il boccaporto fino alle 2 pomer., e poi, fattolo aprire, si fa, in mia presenza, una accurata pulizia di tutto l'ospedale [...]. Desiderando fare, perché la credo necessaria, una straordinaria pulizia dell'ospedale (per tutte e 4 le sezioni), propongo al Comandante di fare il lavaggio in detto locale colla macchinetta (come si pratica per la coperta). Il Comandante, temendo avarie al carico sottoposto, corregge la mia proposta in questo senso (da me accettato): si laveranno tutte le sezioni (pavimento, soffitto e pareti) col così detto potassone, ed egli concede all'uopo tutta la guardia per domani alle 4 antim. [...]

30 novembre 1889 Ho chiuso e ritirate le chiavi dell'ospedale, perché non vi si è fatta la pulizia convenuta col Comandante. Di chi la colpa? Non lo so, né ho diritto a saperlo [...] ho 3 convalescenti (2 di vaiuolide ed 1 di morbillo) che dormono nelle stive coi loro compagni, perché non v'ha un locale per poterli ricoverare; inoltre, temo dover ricoverare altri individui, perché molti accusano dolori colici, specialmente fra la gente d'equipaggio. [...]

1° dicembre 1889 Finalmente stamattina, verso le 10 antim. (cioè più che 60 ore dopo il decesso), ebbi gli uomini necessari per lavare col potassone tutto l'ospedale [...] Gli ammalati di dolori intestinali aumentano, e non so a che cosa attribuirli. [...]

2 dicembre 1889 Fatto grave: ho visitato 19 persone (fra cui il Comandante, 7 passeggeri di classe, 3 camerieri, il carpentiere, il macellaio, ecc.) tutti cogli stessi sintomi, ch'io ritengo di avvelenamento cuprico acuto: vomito, nausea, dolori intestinali acutissimi, diarrea, faccia alterata, occhi affondati e bluastri. Osservo che tutte queste persone sono fra quelle che si cibano colle vivande preparate nella cucina di prima classe [...] visito gli utensili di cucina, e trovo che mentre quelli di terza classe, in ferro, sono in ottime condizioni, quelli in rame della cucina di prima classe sono in deplorevolissime condizioni, e tali da spiegare benissimo i dolori colici cui accenno più sopra. Ne faccio rapporto al Comandante, il quale raccomanda di levare dai recipienti le vivande appena cotte, senza lasciarvele raffreddare, e di fare una accurata pulizia, immediatamente dopo la cottura dei cibi, del rame della detta cucina: non può far altro, perché non v'ha a bordo né stagno, né stagnatore, e non v'ha a bordo un'altra muta di apparecchi da sostituire a quella avariata. Io, per conto mio, da varii giorni non visitavo più le cucine, perché il fatto lo prevedevo, anzi l'aspettavo, avendolo già constatato anche nel viaggio passato. Allora, al ritorno a Genova, feci rapporto di questo all'Amministrazione della NGI, anche osservando che ritenevo troppo sottile la patina di stagno data a questi recipienti: non mi si rispose neanche. [...]

5 dicembre 1889 [...] Lamento la mancanza di posto pel personale così detto «di famiglia»: ora che io assolutamente non permetto più a questa gente di occupare una sezione dell'ospedale, questi poveracci, che pur lavorano tutto il giorno, alla sera non sanno dove rifugiarsi per prendere un po' di riposo, e si trovano buttati a terra, sparsi qua e là per la coperta. Perché alla partenza da Genova non si domanda di vedere come e dove è alloggiato l'equipaggio, tenendo conto del numero degli individui di cui si compone? [...] Non mi ricordo, nel mio esercizio pratico di 7 anni, essendo medico dei po-

veri e di 6 società operaie, d'aver visto mai tanto sudiciume e tante vite ammonticchiate in locali così stretti e
meno adatti all'uso destinato. [...]

7 dicembre 1889 Tanto per cambiare una volta, oggi
sono di nuovo senza limoni per gli ammalati. [...] Nel
viaggio d'andata reclamai, per questo, a Montevideo ed
a Buenos Ayres di ritorno, a Rio de Janeiro ottenni che si
provvedessero 200 limoni in più per uso medico, e rac-
comandai caldamente di conservarmeli: con tutto questo
oggi, 10 giorni dopo, non ve n'è più. Non sarebbe utile,
in questi casi, che il medico avesse a bordo il grado che
gli spetta, e potesse punire severamente chi, trasgre-
dendo i suoi ordini, fa soffrire gli infermi? [...]

8 dicembre 1889 Molti individui dell'equipaggio go-
dono poca salute, e sono veramente non idonei al servizio di bordo (compresovi qualcuno imbarcato come
marinaio): già nel passato viaggio ebbi a constatare
questo fatto (allora s'avea a bordo perfino un giovanotto di seconda classe affetto da istero epilessia). Perché non si sottopone a visita medica tutta la gente che
si imbarca? [...]

11 dicembre 1889 [...] Si arriva a S. Vincenzo alle 2
pomer., e si incomincia subito a far carbone. [...]

12 dicembre 1889 Nessun ammalato nuovo. Si parte
da S. Vincenzo, diretti a Genova, alle 9 antim. Il piroscafo è continuamente scosso, nella sua corsa, perché
ieri, poco prima d'arrivare a S. Vincenzo, si è perduta
una delle quattro patte dell'elica; il cammino è regolare,
ma temo che questo continuo sussultare aumenti le sofferenze pel mal di mare. [...]

13 dicembre 1889 Manifesto il desiderio che siano
meglio distribuite le ore dei ranci, ma mi si risponde che
non si può fare altrimenti. Ora si dà il caffè al mattino

alle 7, il primo rancio alle 11 antim., il secondo rancio alle 4,15 pomer., e così mentre in 9 ore si fanno 3 distribuzioni, passano poi 15 ore consecutive senza distribuzione di sorta. [...]

14 dicembre 1889 Il freddo, specialmente alla notte, incomincia a farsi sentire, e riscontro molte leggere indisposizioni da causa reumatica. [...]

16 dicembre 1889 Da varii giorni lascia a desiderare la qualità dei cibi, tanto della terza quanto della prima classe. Nessun ammalato nuovo, quelli in cura migliorano tutti. [...]

17 dicembre 1889 I bagni, in tutto questo viaggio di ritorno, non hanno potuto servire (e non servono) a nessuno, perché occupati come ripostiglio per gli ananas e le banane, e vari attrezzi. I viveri scarseggiano, e sono deteriorati straordinariamente: capisco che il male dipenda specialmente dal fatto che, a bordo di questo piroscafo, i locali destinati a magazzino delle vettovaglie sono malsani, umidi e privi d'aria, ma non comprendo come si pecchi continuamente di tanta imprevidenza. Così le farine, scarseggianti ripeto, senton di muffa; le paste sono acide; le patate hanno germogliato e sono infette dalla peronospora infestans; il vino è agro; l'aceto (questo poi da tutto il viaggio, specialmente quello limpido di classe) è fatto con acido pirolignico; il formaggio è di qualità scadente ed ora anche avariato. [...]

18 dicembre 1889 Non c'è bisogno ch'io scriva troppe parole per convincere che constato un'infinità di disturbi gastroenterici: mi basta di ricordare la qualità delle derrate che si distribuiscono e lo stato degli attrezzi di cucina. [...]

21 dicembre 1889 Constato sempre una quantità stragrande di disturbi gastroenterici, che sono convinto siano da attribuirsi ai cibi. Essendo quasi finite tutte le provviste, si danno, tanto ai passeggeri di classe come a quelli di terza, gli ultimi avanzi delle derrate (avariate), pochissima carne, o niente, e una gran quantità di conserve di data niente recente. Se il medico dovesse, e potesse, occuparsi di questo importante ramo dell'igiene di bordo, io avrei domandato di distruggere queste provviste e di appoggiare ad un porto per farne altre: ma il medico a bordo non deve prevedere: deve contentarsi di constatare gli errori degli altri, e di curare gli ammalati come può. [...]

22 dicembre 1889 Continuano i disturbi gastroenterici accompagnati da forti dolori intestinali. [...]

23 dicembre 1889 Oggi si procede a pulizia straordinaria delle stive e coperta, perché domani si arriva a Genova. L'ospedale di bordo è pulito ed in buone condizioni. Ammalati degenti in letto non ve n'ha. Non visito alcun nuovo ammalato. [...]

24 dicembre 1889 Nessuna novità. A bordo nessuna malattia epidemica o contagiosa. Si arriva a Genova alle ore 10 antim.

Solo sfoghi di un rompiscatole che non sapeva stare al suo posto: così venne liquidata, dalla Regia Capitaneria del Porto di Genova, la relazione di denuncia del dottor Ansermini: «Datasi lettura di ogni singolo appunto scritto sul giornale sanitario del piroscafo Giava» la commissione parlò di «un fatto personale», di «pettegolezzi», di accuse «scritte quasi per ispirito, se è lecita la parola, di vendetta». E non una delle osservazioni, che avrebbero potuto salvare delle vite nei viaggi successivi del Giava e di altri bastimenti, venne accolta. E i commissari dissero che sì, i locali ai lati della macchina furono abitati ma solo da «*pochi passeggeri sino a Cadice*». E ancora sì, «*il 2 novembre mancarono a bordo le uova*», ma perché se n'era servito il cuoco per i passeggeri di prima classe, «*non avendo né dalla amministrazione, né dal Commissario di bordo ricevuto istruzioni di tenerle divise per uso esclusivamente degli ammalati*». E sì, il ghiaccio mancò però «*non per incuria del personale di bordo; ma perché si consumò nella ghiacciaia*». E sì, a Montevideo e Buenos Aires «*le provviste fresche, uova, polli, ecc. domandate dal medico non arrivarono subito*», ma per colpa «*dei provveditori di quelle agenzie*». E sì, «*è vero che si caricarono le merci nei locali già abitati dai passeggeri senza prima disinfettarli*», ma «*tale operazione avrebbe dovuto sospendere il carico delle merci per 2 giorni*». E sì, mancavano gli infermieri ma solo perché «*trattandosi di vaiuolo nessuno voleva prendersi tale incarico, malgrado la promessa di una retribuzione giornaliera di lire 3*».

E via così: certo, «*i barometri avrebbero dovuto essere due*», ma il secondo rimase nei magazzini a Genova. Certo, «*mancarono i limoni per uso dell'ospedale*», ma perché il maestro di casa se n'era servito «*per fare delle limonate ai passeggeri*» di prima classe. Quanto alle altre denunce, «*nulla diranno i sottoscritti sull'espressione usata dal medico che per constatare la grande mancanza e dei mezzi e delle leggi è necessario fare alcuni viaggi con un migliaio e più di persone a bordo. Nulla dell'altra che la visita sanitaria di partenza è almeno ridicola e proforma e proprio nulla perché queste parole che potrebbero chiamarsi insolenze...*».

Il rapporto che partì da Genova al ministero della Marina fu dunque tranquillizzante: «*Dal verbale succitato risulterebbe che minima parte degli appunti mossi dal dottore sono giustificati, ma la massima parte di essi sembrano dettati da livore contro la Società Generale di Navigazione...*».

Il tragico naufragio del vapore Sirio*

E da Genova il *Sirio* partivano
per l'America, varcare, varcare i confin.

Ed a bordo cantar si sentivano
tutti allegri del suo, del suo destin.

Urtò il *Sirio* un orribile scoglio
di tanta gente la mise, la misera fin.

Padri e madri bracciava i suoi figli
che si sparivano tra le onde, tra le onde del mar.

E tra loro un vescovo c'era dando a tutti
la sua be, la sua benedizion.

E tra loro, lerì
un vescovo c'era, lerà
dando a tutti, lerà
la sua benedizion.

* Canzone popolare

30 giorni di nave a vapore*

30 giorni di nave a vapore
che nell'America noi siamo arrivati
e nell'America che siamo arrivati
abbiam trovato né paglia e né fieno
abbiam dormito sul piano terreno
e come bestie abbiamo riposà
abbiam dormito sul piano terreno
e come bestie abbiamo riposà.

America allegra e bella
tutti la chiamano l'America sorella
tutti la chiamano l'America sorella
la la la la lallalal lalalalallalala.

Ci andaremo coi carri dei zingari
ci andaremo coi carri dei zingari
ci andaremo coi carri dei zingari
in America voglio andar.

America allegra e bella
tutti la chiamano l'America sorella
tutti la chiamano l'America sorella
la la la la lallalal lalalalallalala.

E l'America l'è longa e l'è larga
l'è circondata di monti e di piani
ma con l'industria dei nostri italiani
abbiam fondato paesi e città
ma con l'industria dei nostri italiani
abbiam fondato paesi e città.

America allegra e bella
tutti la chiamano l'America sorella
tutti la chiamano l'America sorella
la la la la lallalal lalalalallalala.

* Canzone popolare

Chiantu de l'emigranti*

Strada mia abbandunata, mo te lassu
chiagnennu me ne vaju le vie vie.
O quanti passi che da tia m'arrassu,
tante funtane faru l'uocchie mie.
Nun so' funtane, no, ma fele e tassu,
tassu che m'entassau la vita mia.
Io partu pe' l'America luntana,
nun sacciu adduje me porta la fortuna.

*O Sant'Antuone mio fallo venire
e non mi fa' pigliare cchiu de pena!*

(Strada mia abbandonata, ora ti lascio, / piangendo
me ne vado lontano. / Quanti sono i passi che da te m'al-
lontano /tante fontane faranno gli occhi miei. / Non
sono fontane, no, ma fiele e veleno, / veleno che ha av-
velenato la vita mia. / Io parto per l'America lontana /
non so dove mi porta la fortuna. // O sant'Antonio mio
fallo venire e non mi far stare più in pena.)

* Canzone popolare

Domani se imbarchemo*

Andemo in Transilvania
a menar lo carioleta
che l'Italia povareta
no ga i bessi de pagar.

I siori porta sassi
lo siore porta malta
chi vol andar in Merica
che là i starà ben.

Domani se imbarchemo,
partimo per l'Australia:
te vedarà Rosalia
che là staremo ben!

E dopo sei mesi
gavaremo la caseta
che a Trieste benedeta.
no se la gavessi mai.

Triestini fè fagoto
ch'el batelo xe in partenza:
Trieste resta senza
de un vero Triestin!

* Canzone popolare del primo Novecento con delle stro-
fette sull'emigrazione. Dal 1900 a oggi quasi 250 mila triestini sono emigrati in cerca di un lavoro all'estero.

Io parto per l'America*

Io parto per l'America,
parto sul bastimento,
io parto e son contento di non vederti più.

Quando sarai partito
ti troverai pentito
ti troverai pentito d'avermi abbandonà.

Quando sarò in America
sposo un'americana,
la bella italiana la lascio in abbandon.

L'anel che tu m'hai dato
l'ho messo sotto i piedi
o bello, se non credi te lo farò veder!

O donna, sei volubile,
o donna senza cuore.
tu mi giurasti amore con grande falsità.

O dammi le mie lettere,
o dammi il mio ritratto
l'amor con te, vigliacco non lo farò mai più.

Io parto per l'America
parto sul bastimento
arrivederci un giorno a far l'amor con te.

* Il testo è tratto in parte dalla versione presentata da G.
Bollini e A. Frescura nell'antologia *I canti della filanda*, e in
parte da quella raccolta da A. V. Savona ad Asolo, Treviso.

Italia bella mostrati gentile*

Italia bella mostrati gentile
e i figli tuoi non li abbandonare
sennò ne vanno tutti in Brasile
e un si ricordan più di ritornare.

Ancor qua ci sarebbe da lavorar
senza andar in America a emigrar.

Il secolo presente qui ci lascia
il millenovecento s'avvicina;
la fame ci han dipinto sulla faccia
e per guarilla 'un c'è la medicina.

Ogni po' noi si sente dire: «E vo
là dov'è la raccolta del caffè».
L'operaio non lavora
e la fame che lo divora
e qui braccianti
'un sanno come fare ad andare avanti.
Ogni po' noi si sente dire: «E vo
là dov'è la raccolta del caffè».
Nun ci rimane più che preti e frati,
moniche di convento e cappuccini,
e certi commercianti disperati
di tasse non conoscono i confini.

Verrà un dì che anche loro dovran partir
là dov'è la raccolta del caffè.

* Stornelli popolari sull'emigrazione raccolti nel Casen-
tino da Caterina Bueno nel 1965. L'informatore era Principio Micheli che li conosceva da molti anni con il nome
«Stornelli della leggera». La ricercatrice ha interpretato questi stornelli nello spettacolo *Ci ragiono e canto* con la regia di
Dario Fo (1966).

Mamma mia dammi cento lire*

Mamma mia dammi cento lire
che all'America voglio andar
io voglio andar, io voglio andar.

Cento lire io te le dago
ma in America no no no.

Do fratelli a la finestra
dice: Mamma lassiela 'ndar
lassiela 'ndar, lassiela 'ndar.

Va te pure o figlia mia
in mezo al mare te sfonderà
te sfonderà, te sfonderà.

Quand l'è stata in mezo al mare
el bastimento se gà sfondà
se gà sfondà, se gà sfondà.

Le parole de la mia mama
le xe vegnuste a la verità
a la verità, a la verità.

Le parole dei mei frateli
l'è state quele che mi à inganà
che mi à inganà, che mi à inganà.

Bastimento l'è andato al fondo
e in questo mondo ritorna più
ritorna più, ritorna più.

* Un altro canto di emigrazione della seconda metà del-
l'Ottocento molto diffuso in tutta l'area padana. La versione eseguita deriva da una registrazione originale della famiglia veneta Fabro, emigrata nel Sud del Brasile. Data
della registrazione imprecisata.

Pi l'America partenza*

Chi scunipigli ti chi c'è ni li paisi,
ntra li famigli, ntra tutti li casi:
di po' ca di l'America si 'ntisi
pi la partenza ognunu fa li basi.

Cu si pripara mutanni e cammisi
cunn'avi grana si 'mpigna li casi.
Afflittu cu a famiglia s'allicenza
e poi pi l'America partenza.

A quant'è tinta ddra brutta spartenza,
lassari li famigli cu duluri.
Priava la divina onnipotenza
ca pi strata l'aiutassi lu Signuri.

A quant'è tinta ddra brutta spartenza,
lassari li famigli cu duluri.
Iu stessu ca lu cantu mi cumpunnu
in ca di ccà v'attaccu n'antru munnu.

(Partenza per l'America. Che scompiglio c'è nei paesi,
nelle famiglie, in tutte le case; / dopo che sono arrivate le
notizie dall'America / ognuno fa i preparativi per la partenza. // C'è chi prepara mutande e camicie, / chi non ha
i soldi dà in pegno le case. / Si distacca afflitto dalla famiglia / e poi per l'America partenza. // Quanto è triste quel
brutto distacco, / lasciare le famiglie con dolore. / Pregava
la divina onnipotenza / perché il Signore lo aiutasse nel
viaggio. // Quanto è triste quel brutto distacco, / lasciare
le famiglie con dolore. / Io stesso che lo canto mi
confondo, / io che da qua parto verso un altro mondo.)

* Canto raccolto nel 1974 a Favara, Agrigento, da Antonio Zarcone e Maurizio Piscopo.

Viva la nostra America*

*Viva la nostra America
la nuova ritrovat
noi ghe daren la sapa (2 volte) (2 volte tutta)
ai siori del Tirol.*

E con i bafi de quei sieri
noi faremo tanti spaseti
sol per lustrare i stivaleti
quando la Italia ritornarem.

*Viva la nostra America
la nuova ritrovat
noi ghe daren la sapa (2 volte) (2 volte tutta)
ai siori del Tirol.*

E con quel cuore moretina tu mi lasì
con quel cuore con quel cuore
e con quel cuore moretina tu mi lasì
con quel cuore tu mi ài lasià.

Quando saren sul mare
il mar farà le onde
arivedersi bionde *(2 volte) (2 volte tutta)*
noi si vedrén mai più.

No l'è la prima ne la seconda
la risa e bionda *(2 volte) (2 volte tutta)*
la voi spozar.

*Viva la nostra America
la nuova ritrovat
noi ghe daren la sapa (2 volte) (2 volte tutta)
ai siori del Tirol.*

* Canto popolare veneto/trentino eseguito da Valmor Morasca e raccolto nel Rio Grande do Sul dai Belumat nell'aprile del 1997.

Da l'Italia siam partiti*

Noi siam partiti da i nostri paesi.
Noi siam partiti co i nostri onori.
Trentasei giorni di machina a vapore
e ne la Merica noi siamo rivà.

Qui ne la Merica noi siamo rivati,
no abiam trovato ne palia e ne fieno,
abiam dormito sul duro tereno,
come le bestie abiamo riposà.

Chi no conose sto belo Brasile,
circondato de monti e de piani
e co la industria de i nostri Italiani
abiam formato paesi e cità.

E da l'Italia nde siamo partiti
per venire al Brasile abitar,
onde i figli che al mondo li diamo
largamente poter sostentar.

Oh frateli venite, cantiamo,
molti giorni ormai già pasò
de quel giorno che il primo Italiano
nel Rio Grande sui piedi pasò.

È pur vero che abiamo sofferto
nel principio del nostro rivar;
è pur vero che i boschi salvagi
speso feci la fronte sudar.

Ma pasate molte giornate
de le pene patite godiam
col lavoro acanito, costante
nova patria in America abiam.

E la patria chi mensa gli alberghi
non è quela del povero meschin
che in Italia lavora e lavora
senza avere in tasca un quatrin!

Nel Brasile non vi sono un patrone,
ogni uno è patrone di sé
e in sua casa il colono comanda,
ogni uomo comanda da sé.

* Canzone popolare

Vuoi tu venir, Giulietta?*

Vuoi tu venir, Giulietta?
Vuoi tu venire con me?
Vuoi tu venir in Merica?
Vuoi tu venir in Merica?

Vuoi tu venir, Giulietta?
Vuoi tu venire con me?
Vuoi tu venire in Merica
a travagliare con me?

Mi sì che vegniria
se 'i fus da chi a Milan,
ma per andare in Merica...
ma per andare in Merica...

Mi sì che vegniria
se 'i fus da chi a Milan,
ma per andare in Merica...
L'è massa via lontan!

* Canto popolare di Asolo (Treviso).

BIBLIOGRAFIA

- AA.VV., *Bernardino Frescura*, La Serenissima, Vicenza 2002
- AA.VV., *La Descrizione di Genova e del Genovesato*, Tip. Ferrando, Genova 1846
- AA.VV., *Emigranti*, Ufficio Emigrazione, Provincia Autonoma di Trento 1996
- AA.VV., *Euroamericani*, Ed. Fondazione Agnelli, Torino 1987
- AA.VV., *Storia dell'emigrazione italiana*, Donzelli, Roma 2001
- Alianello Carlo, *La conquista del Sud*, Rusconi, Milano 1972
- Amfitheatrof Erik, *I figli di Colombo*, Mursia, Milano 1975
- Balzan Eugenio, *Sull'Oceano con gli emigranti*, «Corriere della Sera», 20 aprile 1901
- Bernardi Ulderico, *Addio Patria*, Biblioteca delle Immagini, Pordenone 2002
- Bernardy Amy, *Lettere dal mare*, Riccardi Editore, Napoli 1909
- «Bollettino della Società di Patronato degli Emigranti Italiani», anno primo, n. 1, Roma gennaio 1876
- Cecilia Tito, *Non siamo arrivati ieri*, The Sunnyland Press, Red Cliffs, Victoria (Australia) 1985
- Cioli Maria Giuseppina, *Il passaporto falso,* in AA.VV., *La via delle Americhe. L'emigrazione ligure tra evento e racconto*, Sagep editrice, Genova 1989

– Ciuffoletti Zefiro e Degl'Innocenti Maurizio, *L'emigrazione nella storia d'Italia 1868-1975*, Ed. Vallecchi, Firenze 1978
– D'Angelo Pascal, *Son of Italy*, Ed. Il Grappolo, Salerno 1999
– De Amicis Edmondo, *Cuore*, Mursia, Milano 1995
– De Amicis Edmondo, *Sull'Oceano*, Como-Pavia, 1991
– De Boni Luis A., *La storia che nessuno racconta*, in AA.VV., *Euroamericani*, cit.
– De Zettiry Arrigo, *I coloni italiani nello Stato di San Paolo*, in «Rassegna Nazionale», XVI, 70, 1893
– Dickens Charles, *American Notes,* 1842
– Dickens Charles, *Visioni d'Italia*, Ceschina, Milano 1971
– Dondi Gabriella, *Coloni per caso, emigranti per forza: i veneti di New Italy tra Otto e Novecento*, in *Un altro Veneto*, a cura di Emilio Franzina, Francisci, Abano Terme 1983
– Favretti Rudy J., *Il salto del fosso. Gli zoldani d'America*, Stile Editore, Belluno 2003
– Feraud Lorenzo, *Da Biella a San Francisco di California,* G.B. Paravia, Torino 1882
– Franzina Emilio, *Merica! Merica!*, Ed. Cierre, Verona 1994
– Franzina Emilio, *Traversate. Le grandi migrazioni transatlantiche e i racconti italiani del viaggio per mare*, Editoriale Umbra, Foligno 2003
– Franzina Emilio, *La terra, la violenza, la frontiera*, in *Un altro Veneto*, a cura di Emilio Franzina, cit.
– Franzina Emilio, *Le canzoni dell'emigrazione,* in AA.VV., *Storia dell'emigrazione italiana*, cit.
– Frescura Bernardino, «I moderni problemi dell'emigrazione italiana», Associazione Ligure Ragionieri, Genova 21 marzo 1907
– Florenzano Giovanni, *Della emigrazione italiana in America comparata alle altre emigrazioni europee,* F. Giannini, Napoli 1874

- *Gli schiavi del Veneto*, «La Plebe», 2 febbraio 1883
- Gropallo Tomaso, *Navi a vapore e armamenti italiani*, Mursia, Milano 1976
- Grosselli Renzo, *Storie dell'emigrazione trentina*, Ed. L'Adige, Trento 2000
- Grossi Oreste e Rosoli Gianfausto, *Il pane duro*, Ed. Savelli, Roma 1976
- Guerzoni Giuseppe, *La tratta dei fanciulli*, Tip. G. Polizzi & Comp., Firenze 1868
- Hall Michael, *Emigrazione italiana a San Paolo tra 1880 e 1920*, in «Quaderni storici», IX, I, 1974
- Harney Robert F., *Dalla frontiera alle Little Italies*, Bonacci, Roma 1984
- Hobsbawm Eric J., *Il trionfo della borghesia: 1848-1875*, Laterza, Roma-Bari 1998
- *Il Nufragio del* Sirio *raccontato da un lucchese*, «L'Esare», Bagni di Lucca, 24 agosto 1906
- Macola Ferruccio, *L'Europa alla conquista dell'America Latina*, F. Ongania, Venezia 1894
- Malavasi Cesare, *L'odissea del piroscafo* Remo*, ovvero il disastroso viaggio di 1500 emigranti respinti dal Brasile*, Tip. Candido Grilli, Mirandola 1894
- Maldotti Pietro, *Relazione sull'operato della missione del porto di Genova dal 1894 al 1898 e sui due viaggi al Brasile*, Genova 1898
- Malnate Nicola, *L'emigrazione e l'igiene navale*, «Rivista Marittima», novembre 1894
- Mangione Jerre e Morreale Ben, *La storia. Five Centuries of the Italian American Experience*, Harper Perennial, New York 1993
- Manz Peter, *Emigrazione italiana a Basilea e nei sobborghi, 1890-1914*, Ed. Alice, Milano 1988
- Martellini Amoreno, *Il commercio dell'emigrazione: intermediari e agenti*, in AA.,VV., *Storia dell'emigrazione italiana*, cit.
- Massarotto Raouik Francesca, *Brasile per sempre. Donne venete in Rio Grande do Sul*, ANEA, Padova 2000

- Mazzi Benito, *Fam, fum, frecc,* Priuli & Varlucca, Ivrea 2000
- Missori Mario, *Le condizioni degli emigranti alla fine del XIX secolo in alcuni documenti delle autorità marittime*, «Affari Sociali Internazionali», anno primo, numero 3, settembre 1973
- Molinari Augusta, *Le navi di Lazzaro*, Franco Angeli Editore, Milano 1988
- Molinari Augusta, *Porti, trasporti, compagnie*, in AA.VV., *Storia dell'emigrazione italiana*, cit.
- Nathan Ernesto, *Vent'anni di vita italiana attraverso l'annuario*, Roux, Roma-Torino 1906
- Nievo Stanislao, *Le isole del paradiso*, Mondadori, Milano 1987
- Nugent Thomas, *The Grand Tour. The traveller's guide through Italy*, 1794
- Pittalis Edoardo, *Dalle Tre Venezie al Nordest*, Biblioteca dell'immagine, Pordenone 2003
- Porcella Marco, *La fatica e la Merica*, ed. Sagep, Genova 1986
- Pratesi Fulco, *Storia della natura in Italia,* Editori Riuniti, Roma 2001
- Roncagli Giovanni, *Responsabilità marittime*, Fratelli Rocca, Roma 1906
- Rosati, Teodorico, *L'assistenza sanitaria degli emigranti e dei marinai*, F. Vallardi, Milano 1910
- Rosati, Teodorico, *Il servizio igienico-sanitario nella emigrazione transoceanica per l'anno 1910 e la profilassi anticolerica negli emigranti dal settembre 1910 al febbraio 1911*, Tip. Società Cartiere Centrali, Roma 1912
- Santecchia Eno, *La principessa che non fece ritorno*, Associazione Italiana di Documentazione Marittima e Navale, Bollettino n. 20, aprile 2002
- Silone Ignazio, *Fontamara*, Rizzoli, Milano 1989
- *Sommario di Statistiche Storiche Italiane*, Istituto Poligrafico dello Stato, Roma 1958.
- Surdich Francesco, *Due esploratori liguri nel territorio della Plata e del Mato Grosso*, in AA.VV., *La via*

delle Americhe. L'emigrazione ligure tra evento e racconto, cit.

– Thompson Anne-Gabrielle, *Turmoil-Tragedy to Triumph*, tesi di laurea dell'Università del Queensland, (Australia) 1975

– Tognotti Eugenia, *Il mostro asiatico: storia del colera in Italia,* Laterza, Roma 2000

– Vanzetto Livio, *I ricchi e i pellagrosi*, Francisci Editore, Abano Terme (PD) 1985

– Villa Deliso, *La valigia dell'emigrante*, Ed. La Valigia, Romano d'Ezzelino (VC) 1999

– Viviani Raffaele, *Scalo marittimo*, in *Viviani*, Ilte, Napoli 1959

– Volpato Floriano, *New Italy*, Ed. Il Globo, Melbourne (Australia) 1983

RINGRAZIAMENTI

Un grazie a Ulderico Bernardi, Bernardino Bertella, Gualtiero Bertelli, Francesco Durante, Emilio Franzina, Mauro Giancaspro, Antonio Gibelli, Renzo Grosselli, Augusta Molinari, Maria Rosaria Ostuni, Edoardo Pittalis, Gianni Secco, Eugenia Tognotti per i suggerimenti, gli appunti, la segnalazione di documenti straordinari. Grazie all'Archivio Storico della Camera e, in particolare, a Barbara Cartocci, Luciana Cannistrà ed Emiliano Gandolfi. Grazie a Joseph Agnone ed Eno Santecchia, generosi segugi nel nostro passato meno conosciuto.

Grazie infine a Danilo Fullin e a tutti gli amici del Centro Documentazione del «Corriere»: Marco Angelini, Daniela Angelomè, Pierluigi Antognazzi, Maurizio Asperges, Cristina Bariani, Camillo Blanda, Carlo Bonfanti, Paola Colombo, Luca Condini, Luciana De Santis, Silvia Gioia, Enrica Girotto, Stefania Grassi, Mara Leonello, Loredana Limone, Loredana Maranghi, Giancarlo Martinelli, Cesare Minero, Gabriele Nava, Salvatore Patella, Adriana Pedrazzini, Marco Pedrazzini, Giuliana Pini, Filippo Senatore, Luigi Seregni, Bruna Nella Sposato, Ornella Terzi, Patrizia Trevisan, Paola Trotta, Luigi Maria Tunesi, Giuliano Vidori, Maurizio Zampieri, Annalisa Zanoncelli.

INDICE